A Matteo,

Tantissimi auguri di Buon compleanno!

Francese

Reclam XL | Text und Kontext

Stefan Zweig
Schachnovelle

Herausgegeben von Florian Gräfe

Reclam

Der Text dieser Ausgabe ist seiten- und zeilengleich mit der Ausgabe der Universal-Bibliothek Nr. 18933. – Er wurde auf der Grundlage der gültigen amtlichen Rechtschreibregeln orthographisch behutsam modernisiert.

Zu Zweigs *Schachnovelle* gibt es bei Reclam
– einen *Lektüreschlüssel für Schülerinnen und Schüler* (Nr. 15365)
– eine Interpretation in: *Erzählungen des 20. Jahrhunderts* in der Reihe »Interpretationen« (Nr. 9462)

E-Book-Ausgaben finden Sie auf unserer Website
unter www.reclam.de/e-book

Reclam XL | Text und Kontext | Nr. 19151
2016 Philipp Reclam jun. GmbH & Co. KG,
Siemensstraße 32, 71254 Ditzingen
Gestaltung: Cornelia Feyll, Friedrich Forssman
Druck und Bindung: Canon Deutschland Business Services GmbH,
Siemensstraße 32, 71254 Ditzingen
Printed in Germany 2018
RECLAM ist eine eingetragene Marke
der Philipp Reclam jun. GmbH & Co. KG, Stuttgart
ISBN 978-3-15-019151-4

Auch als E-Book erhältlich

www.reclam.de

Die Texte von Reclam XL sind seiten- und zeilengleich mit den Texten der Universal-Bibliothek.
Die Reihe bietet neben dem Text Worterläuterungen in Form von Fußnoten und Sacherläuterungen in Form von Anmerkungen im Anhang, auf die am Rand mit Pfeilen (↗) verwiesen wird.

Auf dem großen Passagierdampfer, der mitternachts von New York nach Buenos Aires abgehen sollte, herrschte die übliche Geschäftigkeit und Bewegung der letzten Stunde. Gäste vom Land drängten durcheinander, um ihren Freunden das Geleit zu geben, Telegraphenboys mit schiefen Mützen schossen Namen ausrufend durch die Gesellschaftsräume, Koffer und Blumen wurden geschleppt, Kinder liefen neugierig treppauf und treppab, während das Orchester unerschütterlich zur deck-show spielte. Ich stand im Gespräch mit einem Bekannten etwas abseits von diesem Getümmel auf dem Promenadedeck, als neben uns zwei- oder dreimal Blitzlicht scharf aufsprühte – anscheinend war irgendein Prominenter knapp vor der Abfahrt noch rasch von Reportern interviewt und photographiert worden. Mein Freund blickte hin und lächelte. »Sie haben da einen raren Vogel an Bord, den Czentovic.« Und da ich offenbar ein ziemlich verständnisloses Gesicht zu dieser Mitteilung machte, fügte er erklärend bei: »Mirko Czentovic, der Weltschachmeister. Er hat ganz Amerika von Ost nach West mit Turnierspielen abgeklappert und fährt jetzt zu neuen Triumphen nach Argentinien.«

In der Tat erinnerte ich mich nun des Namens dieses jungen Weltmeisters und sogar einiger Einzelheiten im Zusammenhang mit seiner raketenhaften Karriere; mein Freund, ein aufmerksamerer Zeitungsleser als ich, konnte sie mit einer ganzen Reihe von Anekdoten ergänzen. Czentovic hatte sich vor etwa einem Jahr mit einem Schlage neben die bewährtesten Altmeister der Schachkunst, wie Aljechin, Capablanca, Tartakower, Lasker, Bogoljubow ge-

---

1 **mitternachts:** um Mitternacht | 5 **das Geleit zu geben:** zu begleiten | **Telegraphenboys:** Telegraph: frühe Form der schnellen Kommunikation (Morsealphabet) | 9 **deck-show:** Unterhaltungsshow auf dem Oberdeck

stellt; seit dem Auftreten des siebenjährigen Wunder-
kindes Rzecewski bei dem Schachturnier 1922 in New York
hatte noch nie der Einbruch eines völlig Unbekannten in
die ruhmreiche Gilde derart allgemeines Aufsehen erregt.
Denn Czentovics intellektuelle Eigenschaften schienen
ihm keineswegs eine solche blendende Karriere von vorn-
herein zu weissagen. Bald sickerte das Geheimnis durch,
dass dieser Schachmeister in seinem Privatleben außer-
stande war, in irgendeiner Sprache einen Satz ohne ortho-
graphischen Fehler zu schreiben und, wie einer seiner ver-
ärgerten Kollegen ingrimmig spottete, »seine Unbildung
war auf allen Gebieten gleich universell.« Sohn eines blut-
armen südslawischen Donauschiffers, dessen winzige Bar-
ke eines Nachts von einem Getreidedampfer überrannt
wurde, war der damals Zwölfjährige nach dem Tode seines
Vaters vom Pfarrer des abgelegenen Ortes aus Mitleid aufgenommen worden, und der gute Pater bemühte sich red-
lich, durch häusliche Nachhilfe wettzumachen, was das
maulfaule, dumpfe, breitstirnige Kind in der Dorfschule
nicht zu erlernen vermochte.

Aber alle Anstrengungen blieben vergeblich. Mirko
starrte die schon hundertmal ihm erklärten Schriftzeichen
immer wieder fremd an; auch für die simpelsten Unter-
richtsgegenstände fehlte seinem schwerfällig arbeitenden
Gehirn jede festhaltende Kraft. Wenn er rechnen sollte,
musste er noch mit vierzehn Jahren jedes Mal die Finger zur
Hilfe nehmen und ein Buch oder eine Zeitung zu lesen, bedeutete für den schon halbwüchsigen Jungen noch besondere Anstrengung. Dabei konnte man Mirko keineswegs
unwillig oder widerspenstig nennen. Er tat gehorsam, was
man ihm gebot, holte Wasser, spaltete Holz, arbeitete mit

---

3 **der Einbruch:** das unvermutete Eindringen | 4 **ruhmreiche Gilde:** be-
rühmte Gruppe | 9 f. **orthographischen Fehler:** Rechtschreibfehler |
11 **ingrimmig:** wütend | 12 **universell:** allumfassend | 12 f. **blutarmen:** sehr
armen | 13 f. **Barke:** Schiff

auf dem Felde, räumte die Küche auf und erledigte verläss-
lich, wenn auch mit verärgernder Langsamkeit, jeden ge-
forderten Dienst. Was den guten Pfarrer aber an dem quer-
köpfigen Knaben am meisten verdross, war seine totale
Teilnahmslosigkeit. Er tat nichts ohne besondere Aufforderung, stellte nie eine Frage, spielte nicht mit anderen Burschen und suchte von selbst keine Beschäftigung, sofern
man sie nicht ausdrücklich anordnete; sobald Mirko die
Verrichtungen des Haushalts erledigt hatte, saß er stur im
Zimmer herum mit jenem leeren Blick, wie ihn Schafe auf
der Weide haben, ohne an den Geschehnissen rings um ihn
den geringsten Anteil zu nehmen. Während der Pfarrer
abends, die lange Bauernpfeife schmauchend, mit dem
Gendarmeriewachtmeister seine üblichen drei Schachpartien spielte, hockte der blondsträhnige dumpfe Bursche
stumm daneben und starrte unter seinen schweren Lidern
anscheinend schläfrig und gleichgültig auf das karierte
Brett.

Eines Winterabends klingelten, während die beiden
Partner in ihre tägliche Partie vertieft waren, von der Dorf-
straße her die Glöckchen eines Schlittens rasch und immer
rascher heran. Ein Bauer, die Mütze mit Schnee überstäubt,
stapfte hastig herein, seine alte Mutter läge im Sterben und
der Pfarrer möge eilen, ihr noch rechtzeitig die Letzte
Ölung zu erteilen. Ohne zu zögern, folgte ihm der Priester.
Der Gendarmeriewachtmeister, der sein Glas Bier noch
nicht ausgetrunken hatte, zündete sich zum Abschied eine
neue Pfeife an und bereitete sich eben vor, die schweren
Schaftstiefel anzuziehen, als ihm auffiel, wie unentwegt
der Blick Mirkos auf dem Schachbrett mit der angefange-
nen Partie haftete.

---

13 **schmauchend:** genüsslich rauchend | 15 **dumpfe:** antriebslose |
22 **überstäubt:** wie mit Staub bedeckt | 24 f. **Letzte Ölung:** letzte Kran-
kensalbung vor dem Tod | 29 **Schaftstiefel:** Stiefel, die bis auf die Ober-
schenkel reichen | 29 **unentwegt:** unablässig, konzentriert

»Na, willst du sie zu Ende spielen?«, spaßte er, vollkommen überzeugt, dass der schläfrige Junge nicht einen einzigen Stein auf dem Brette richtig zu rücken verstünde. Der Knabe starrte scheu auf, nickte dann und setzte sich auf den Platz des Pfarrers. Nach vierzehn Zügen war der Gendarmeriewachtmeister geschlagen und musste zudem eingestehen, dass keineswegs ein versehentlich nachlässiger Zug seine Niederlage verschuldet habe. Die zweite Partie fiel nicht anders aus.

»Bileams Esel!«, rief erstaunt bei seiner Rückkehr der Pfarrer aus, dem weniger bibelfesten Gendarmeriewachtmeister erklärend, schon vor zweitausend Jahren hätte sich ein ähnliches Wunder ereignet, dass ein stummes Wesen plötzlich die Sprache der Weisheit gefunden habe. Trotz der vorgerückten Stunde konnte der gute Pater sich nicht enthalten, seinen halb analphabetischen Famulus zu einem Zweikampf herauszufordern. Mirko schlug auch ihn mit Leichtigkeit. Er spielte zäh, langsam, unerschütterlich, ohne ein einziges Mal die gesenkte breite Stirn vom Brette aufzuheben. Aber er spielte mit unwiderlegbarer Sicherheit; weder der Gendarmeriewachtmeister noch der Pfarrer waren in den nächsten Tagen imstande, eine Partie gegen ihn zu gewinnen. Der Pfarrer, besser als irgendjemand befähigt, die sonstige Rückständigkeit seines Zöglings zu beurteilen, wurde nun ernstlich neugierig, wie weit diese einseitige sonderbare Begabung einer strengeren Prüfung standhalten würde. Nachdem er Mirko bei dem Dorfbarbier die struppigen strohblonden Haare hatte schneiden lassen, um ihn einigermaßen präsentabel zu machen, nahm er ihn mit seinem Schlitten in die kleine Nachbarstadt, wo er im Café des Hauptplatzes eine Ecke mit enra-

---

16 **Famulus:** Diener | 27 f. **Dorfbarbier:** Dorffrisör | 29 **präsentabel:** vorzeigbar | 31 f. **enragierten:** begeisterten

gierten Schachspielern wusste, denen er selbst erfahrungs-
gemäß nicht gewachsen war. Es erregte bei der ansässigen
Runde nicht geringes Staunen, als der Pfarrer den fünf-
zehnjährigen strohblonden und rotbäckigen Burschen in
seinem nach innen getragenen Schafspelz und schweren
hohen Schaftstiefeln in das Kaffeehaus schob, wo der Junge
befremdet mit scheu niedergeschlagenen Augen in einer
Ecke stehen blieb, bis man ihn zu einem der Schachtische
hinrief. In der ersten Partie wurde Mirko geschlagen, da er
die sogenannte sizilianische Eröffnung bei dem guten Pfarrer nie gesehen hatte. In der zweiten Partie kam er schon
gegen den besten Spieler auf Remis. Von der dritten und
vierten an schlug er sie alle, einen nach dem andern.

Nun ereignen sich in einer kleinen südslawischen Pro-
vinzstadt höchst selten aufregende Dinge; so wurde das
erste Auftreten dieses bäuerlichen Champions für die ver-
sammelten Honoratioren unverzüglich zur Sensation. Ein-
stimmig wurde beschlossen, der Wunderknabe müsse unbedingt noch bis zum nächsten Tage in der Stadt bleiben,
damit man die anderen Mitglieder des Schachklubs zusam-
menrufen und vor allem den alten Graf Simczic, einen Fa-
natiker des Schachspiels, auf seinem Schlosse verständigen
könne. Der Pfarrer, der mit einem ganz neuen Stolz auf seinen Pflegling blickte, aber über seiner Entdeckerfreude
doch seinen pflichtgemäßen Sonntagsgottesdienst nicht
versäumen wollte, erklärte sich bereit, Mirko für eine weitere Probe zurückzulassen. Der junge Czentovic wurde auf
Kosten der Schachecke im Hotel einquartiert und sah an
diesem Abend zum ersten Mal ein Wasserklosett. Am folgenden Sonntagnachmittag war der Schachraum überfüllt.
Mirko, unbeweglich vier Stunden vor dem Brett sitzend,

---

5 **nach innen getragenen:** mit der Fellseite nach innen | 12 **Remis:** Un-
entschieden | 17 **Honoratioren:** angesehenen Bürger, Würdenträger

besiegte, ohne ein Wort zu sprechen oder auch nur aufzu-
schauen, einen Spieler nach dem andern; schließlich wurde
eine Simultanpartie vorgeschlagen. Es dauerte eine Weile,
ehe man dem Unbelehrten begreiflich machen konnte,
dass bei einer Simultanpartie er allein gleichzeitig gegen die
verschiedenen Spieler zu kämpfen hätte. Aber sobald Mirko diesen Usus begriffen, fand er sich rasch in die Aufgabe,
ging mit seinen schweren, knarrenden Schuhen langsam
von Tisch zu Tisch und gewann schließlich sieben von den
acht Partien.

Nun begannen große Beratungen. Obwohl dieser neue
Champion im strengeren Sinne nicht zur Stadt gehörte,
war doch der heimische Nationalstolz lebhaft entzündet.
Vielleicht konnte endlich die kleine Stadt, deren Vorhan-
densein auf der Landkarte kaum jemand bisher wahrge-
nommen, zum ersten Mal sich die Ehre erwerben, einen
berühmten Mann in die Welt zu schicken. Ein Agent namens Koller, sonst nur Chansonetten und Sängerinnen für
das Kabarett der Garnison vermittelnd, erklärte sich bereit,
sofern man den Zuschuss für ein Jahr leiste, den jungen
Menschen in Wien von einem ihm bekannten ausgezeich-
neten kleinen Meister fachmäßig in der Schachkunst aus-
bilden zu lassen. Graf Simczic, dem in sechzig Jahren tägli-
chen Schachspiels nie ein so merkwürdiger Gegner entge-
gengetreten war, zeichnete sofort den Betrag. Mit diesem
Tage begann die erstaunliche Karriere des Schiffersohnes.

Nach einem halben Jahr beherrschte Mirko sämtliche
Geheimnisse der Schachtechnik, allerdings mit einer selt-
samen Einschränkung, die später in den Fachkreisen viel
beobachtet und bespöttelt wurde. Denn Czentovic brachte
es nie dazu, auch nur eine einzige Schachpartie auswendig

---

7 **Usus:** Brauch | 7 **fand … in die Aufgabe:** gewöhnte … an die Aufgabe |
17 **Agent:** hier: Künstlermanager | 18 **Chansonetten:** (frz.) Schlagersän-
gerinnen | 19 **der Garnison:** des ortsansässigen Militärs | 25 **zeichnete:**
bestätigte die Zahlung durch seine Unterschrift

– oder wie man fachgemäß sagt: blind – zu spielen. Ihm
fehlte vollkommen die Fähigkeit, das Schachfeld in den un-
begrenzten Raum der Phantasie zu stellen. Er musste immer das schwarz-weiße Karree mit den vierundsechzig
Feldern und zweiunddreißig Figuren handgreiflich vor
sich haben; noch zur Zeit seines Weltruhms führte er ständig ein zusammenlegbares Taschenschach mit sich, um,
wenn er eine Meisterpartie rekonstruieren oder ein Problem für sich lösen wollte, sich die Stellung optisch vor Augen zu führen. Dieser an sich unbeträchtliche Defekt ver-
riet einen Mangel an imaginativer Kraft und wurde in dem
engeren Kreise ebenso lebhaft diskutiert, wie wenn unter
Musikern ein hervorragender Virtuose oder Dirigent sich
unfähig gezeigt hätte, ohne aufgeschlagene Partitur zu
spielen oder zu dirigieren. Aber diese merkwürdige Eigen-
heit verzögerte keineswegs Mirkos stupenden Aufstieg.
Mit siebzehn Jahren hatte er schon ein Dutzend Schach-
preise gewonnen, mit achtzehn sich die ungarische Meisterschaft, mit zwanzig endlich die Weltmeisterschaft erobert. Die verwegensten Champions, jeder einzelne an intellektueller Begabung, an Phantasie und Kühnheit ihm
unermesslich überlegen, erlagen ebenso seiner zähen und
kalten Logik wie Napoleon dem schwerfälligen Kutusow,
wie Hannibal dem Fabius Cunctator, von dem Livius berichtet, dass er gleichfalls in seiner Kindheit derart auffälli-
ge Züge von Phlegma und Imbezillität gezeigt habe. So geschah es, dass in die illustre Galerie der Schachmeister, die
in ihren Reihen die verschiedensten Typen intellektueller
Überlegenheit vereinigt, Philosophen, Mathematiker, kal-
kulierende, imaginierende und oft schöpferische Naturen,
zum ersten Mal ein völliger Outsider der geistigen Welt

4 **Karree:** Viereck | 11 **imaginativer Kraft:** Phantasie | 13 **Virtuose:** Meister
auf seinem Instrument | 14 **Partitur:** Notenbuch eines Musikers | 16 **stu-
penden:** verblüffenden | 26 **Phlegma und Imbezillität:** geistige Trägheit
und Zurückgebliebenheit | 27 **illustre Galerie:** vornehme Reihe | 30 **ima-
ginierende:** phantasievolle | 31 **Outsider:** Außenseiter

einbrach, ein schwerer, maulfauler Bauernbursche, aus dem auch nur ein einziges publizistisch brauchbares Wort herauszulocken selbst den gerissensten Journalisten nie gelang. Freilich, was Czentovic den Zeitungen an geschliffenen Sentenzen vorenthielt, ersetzte er bald reichlich durch Anekdoten über seine Person. Denn rettungslos wurde mit der Sekunde, da er vom Schachbrette aufstand, wo er Meister ohnegleichen war, Czentovic zu einer grotesken und beinahe komischen Figur; trotz seines feierlichen schwarzen Anzuges, seiner pompösen Krawatte mit der etwas aufdringlichen Perlennadel und seiner mühsam manikürten Finger blieb er in seinem Gehaben und seinen Manieren derselbe beschränkte Bauernjunge, der im Dorf die Stube des Pfarrers gefegt. Ungeschickt und geradezu schamlos plump suchte er zum Gaudium und zum Ärger seiner Fachkollegen aus seiner Begabung und seinem Ruhm mit einer kleinlichen und sogar oft ordinären Habgier herauszuholen, was an Geld herauszuholen war. Er reiste von Stadt zu Stadt, immer in den billigsten Hotels wohnend, er spielte in den kläglichsten Vereinen, sofern man ihm sein Honorar bewilligte, er ließ sich abbilden auf Seifenreklamen und verkaufte sogar, ohne auf den Spott seiner Konkurrenten zu achten, die genau wussten, dass er nicht imstande war, drei Sätze richtig zu schreiben, seinen Namen für eine »Philosophie des Schachs«, die in Wirklichkeit ein kleiner galizischer Student für den geschäftstüchtigen Verleger geschrieben. Wie allen zähen Naturen fehlte ihm jeder Sinn für das Lächerliche; seit seinem Siege im Weltturnier hielt er sich für den wichtigsten Mann der Welt, und das Bewusstsein, all diese gescheiten, intellektuellen, blendenden Sprecher und Schreiber auf ihrem eige-

---

2 **publizistisch:** zur Veröffentlichung (in der Presse) | 4 f. **geschliffenen Sentenzen:** wohlformulierten Äußerungen | 8 **grotesken:** absonderlichen, lächerlichen | 12 **Gehaben:** Verhalten | 15 **Gaudium:** (lat.) Spaß | 26 **galizischer:** aus Galizien (Region der Westukraine)

nen Feld geschlagen zu haben und vor allem die handgreif-
liche Tatsache, mehr als sie zu verdienen, verwandelte die
ursprüngliche Unsicherheit in einen kalten und meist
plump zur Schau getragenen Stolz.

»Aber wie sollte ein so rascher Ruhm nicht einen so leeren Kopf beduseln?«, schloss mein Freund, der mir gerade
einige klassische Proben von Czentovics kindischer Präpo-
tenz anvertraut hatte. »Wie sollte ein einundzwanzigjähri-
ger Bauernbursche aus dem Banat nicht den Eitelkeitskoller ⟋
kriegen, wenn er plötzlich mit ein bisschen Figurenherum-
schieben auf einem Holzbrett in einer Woche mehr ver-
dient als sein ganzes Dorf daheim mit Holzfällen und den
bittersten Abrackereien in einem ganzen Jahr? Und dann,
ist es nicht eigentlich verflucht leicht, sich für einen großen
Menschen zu halten, wenn man nicht mit der leisesten Ahnung belastet ist, dass ein Rembrandt, ein Beethoven, ein
Dante, ein Napoleon je gelebt haben? Dieser Bursche weiß
in seinem vermauerten Gehirn nur das eine, dass er seit
Monaten nicht eine einzige Schachpartie verloren hat, und
da er eben nicht ahnt, dass es außer Schach und Geld noch
andere Werte auf unserer Erde gibt, hat er allen Grund, von
sich begeistert zu sein.«

Diese Mitteilungen meines Freundes verfehlten nicht,
meine besondere Neugierde zu erregen. Alle Arten von
monomanischen, in eine einzige Idee verschlossenen Menschen haben mich zeitlebens angereizt, denn je mehr sich
einer begrenzt, umso mehr ist er andererseits dem Unend-
lichen nah; gerade solche scheinbar Weltabseitigen bauen
in ihrer besonderen Materie sich termitenhaft eine merk- ⟋
würdige und durchaus einmalige Abbreviatur der Welt. So
machte ich aus meiner Absicht, dieses sonderbare Spezi-

---

6 **beduseln:** hier: verwirren | 7 f. **Präpotenz:** Unverschämtheit | 9 **Eitel-
keitskoller:** Ausbruch von Eitelkeit | 25 **monomanischen:** von einer ein-
zigen Zwangsvorstellung besessenen | 26 **angereizt:** interessiert | 29 **Ma-
terie:** Fachgebiet | 30 **Abbreviatur:** vereinfachte Vorstellung, Verkür-
zung | 31 f. **Spezimen:** Musterexemplar

men intellektueller Eingleisigkeit auf der zwölftägigen Fahrt bis Rio näher unter die Lupe zu nehmen, kein Hehl.

»Jedoch, da werden Sie wenig Glück haben«, warnte mein Freund. »Soviel ich weiß, ist es noch keinem gelungen, aus Czentovic das Geringste an psychologischem Material herauszuholen. Hinter all seiner abgründigen Beschränktheit verbirgt dieser gerissene Bauer die große Klugheit, sich keine Blößen zu geben, und zwar dank der simplen Technik, dass er außer mit Landsleuten seiner eigenen Sphäre, die er sich in kleinen Gasthäusern zusammensucht, jedes Gespräch vermeidet. Wo er einen gebildeten Menschen spürt, kriecht er in sein Schneckenhaus; so kann niemand sich rühmen, je ein dummes Wort von ihm gehört oder die angeblich unbegrenzte Tiefe seiner Unbildung ausgemessen zu haben.«

Mein Freund sollte in der Tat recht behalten. Während der ersten Tage der Reise erwies es sich als vollkommen unmöglich, an Czentovic ohne grobe Zudringlichkeit, die schließlich nicht meine Sache ist, heranzukommen. Manchmal schritt er zwar über das Promenadedeck, aber dann immer die Hände auf dem Rücken verschränkt mit jener stolz in sich versenkten Haltung, wie Napoleon auf dem bekannten Bilde; außerdem erledigte er immer so eilig und stoßhaft seine peripatetische Deckrunde, dass man ihm hätte im Trab nachlaufen müssen, um ihn ansprechen zu können. In den Gesellschaftsräumen wiederum, in der Bar, im Rauchzimmer zeigte er sich niemals; wie mir der Steward auf vertrauliche Erkundigung hin mitteilte, verbrachte er den Großteil des Tages, in seiner Kabine auf einem mächtigen Brett Schachpartien einzuüben oder zu rekapitulieren.

---

24 **peripatetische:** auf- und abgehende | 30 f. **zu rekapitulieren:** zu wiederholen

Nach drei Tagen begann ich mich tatsächlich zu ärgern, dass seine zähe Abwehrtechnik geschickter war als mein Wille, an ihn heranzukommen. Ich hatte in meinem Leben noch nie Gelegenheit gehabt, die persönliche Bekanntschaft eines Schachmeisters zu machen, und je mehr ich mich jetzt bemühte, mir einen solchen Typus zu personifizieren, umso unvorstellbarer schien mir eine Gehirntätigkeit, die ein ganzes Leben lang ausschließlich um einen Raum von vierundsechzig schwarzen und weißen Feldern rotiert. Ich wusste wohl aus eigener Erfahrung um die geheimnisvolle Attraktion des »königlichen Spiels«, dieses einzigen unter allen Spielen, die der Mensch ersonnen, das sich souverän jeder Tyrannis des Zufalls entzieht und seine Siegespalmen einzig dem Geist oder vielmehr einer bestimmten Form geistiger Begabung zuteilt. Aber macht man sich nicht bereits einer beleidigenden Einschränkung schuldig, indem man Schach ein Spiel nennt? Ist es nicht auch eine Wissenschaft, eine Technik, eine Kunst, schwebend zwischen diesen Kategorien wie der Sarg Mohammeds zwischen Himmel und Erde, eine einmalige Bindung aller Gegensätzepaare: uralt und doch ewig neu, mechanisch in der Anlage und doch nur wirksam durch Phantasie, begrenzt in geometrisch starrem Raum und dabei unbegrenzt in seinen Kombinationen, ständig sich entwickelnd und doch steril, ein Denken, das zu nichts führt, eine Mathematik, die nichts errechnet, eine Kunst ohne Werke, eine Architektur ohne Substanz und nichts destominder erwiesenermaßen dauerhafter in seinem Sein und Dasein als alle Bücher und Werke, das einzige Spiel, das allen Völkern und allen Zeiten zugehört und von dem niemand weiß, welcher Gott es auf die Erde gebracht, um die

---

6f. **zu personifizieren:** als Person vorzustellen | 10 **rotiert:** kreist | 11 **Attraktion:** Anziehungskraft | 12 **ersonnen:** ausgedacht | 13 **souverän:** überlegen | **jeder Tyrannis:** jeder brutalen Herrschaft | 14 **Siegespalmen:** Siegesprämien | 25 **steril:** ohne praktischen Wert

Langeweile zu töten, die Sinne zu schärfen, die Seele zu spannen. Wo ist bei ihm Anfang und wo das Ende: jedes Kind kann seine ersten Regeln erlernen, jeder Stümper sich in ihm versuchen, und doch vermag es innerhalb dieses unveränderbar engen Quadrats eine besondere Spezies von Meistern zu erzeugen, unvergleichbar allen andern, Menschen mit einer einzig dem Schach zubestimmten Begabung, spezifische Genies, in denen Vision, Geduld und Technik in einer ebenso genau bestimmten Verteilung wirksam sind wie im Mathematiker, im Dichter, im Musiker, und nur in anderer Schichtung und Bindung. In früheren Zeiten physiognomischer Leidenschaft hätte ein Gall vielleicht die Gehirne solcher Schachmeister seziert um festzustellen, ob bei solchen Schachgenies eine besondere Windung in der grauen Masse des Gehirns, eine Art Schachmuskel oder Schachhöcker sich intensiver eingezeichnet fände als in anderen Schädeln. Und wie hätte einen solchen Physiognomiker erst der Fall eines Czentovic angereizt, wo dies spezifische Genie eingesprengt erscheint in eine absolute intellektuelle Trägheit wie ein einzelner Faden Gold in einem Zentner tauben Gesteins. Im Prinzip war mir die Tatsache von jeher verständlich, dass ein derart einmaliges, ein solches geniales Spiel sich spezifische Matadore schaffen müsste, aber wie schwer, wie unmöglich doch, sich das Leben eines geistig regsamen Menschen vorzustellen, dem sich die Welt einzig auf die enge Einbahn zwischen Schwarz und Weiß reduziert, der in einem bloßen Hin und Her, Vor und Zurück von zweiunddreißig Figuren seine Lebenstriumphe sucht, einen Menschen, dem bei einer neuen Eröffnung den Springer vorzuziehen statt des Bauern schon Großtat und sein ärmliches Eckchen Un-

---

5 **Spezies:** Art | 13 **seziert:** auseinandergenommen | 21 **tauben:** ohne nutzbare Erze | 23 f. **spezifische Matadore:** spezialisierte Sporthelden

sterblichkeit im Winkel eines Schachbuches bedeutet – einen Menschen, einen geistigen Menschen, der ohne wahnsinnig zu werden, zehn, zwanzig, dreißig, vierzig Jahre lang die ganze Spannkraft seines Denkens immer und immer wieder an den lächerlichen Einsatz wendet, einen hölzernen König auf einem hölzernen Brett in den Winkel zu drängen!

Und nun war ein solches Phänomen, ein solches sonderbares Genie oder ein solcher rätselhafter Narr mir räumlich zum ersten Mal ganz nahe, sechs Kabinen weit auf demselben Schiff, und ich Unseliger, für den Neugier in geistigen Dingen immer zu einer Art Passion ausartet, sollte nicht imstande sein, mich ihm zu nähern. Ich begann mir die absurdesten Listen auszudenken: etwa ihn in seiner Eitelkeit zu kitzeln, indem ich ihm ein angebliches Interview für eine wichtige Zeitung vortäuschte, oder bei seiner Habgier zu packen dadurch, dass ich ihm ein einträgliches Turnier in Schottland proponierte. Aber schließlich erinnerte ich mich, dass die bewährteste Technik der Jäger, den Auerhahn an sich heranzulocken, darin besteht, dass sie seinen Balzschrei nachahmen; was konnte eigentlich wirksamer sein, um die Aufmerksamkeit eines Schachmeisters auf sich zu ziehen, als indem man selber Schach spielt?

Nun bin ich zeitlebens nie ein ernstlicher Schachkünstler gewesen und zwar aus dem einfachen Grunde, dass ich mich mit Schach immer bloß leichtfertig und ausschließlich zu meinem Vergnügen befasste; wenn ich mich für eine Stunde vor das Brett setze, geschieht dies keineswegs, um mich anzustrengen, sondern im Gegenteil, um mich von geistiger Anspannung zu entlasten. Ich »spiele« Schach im wahrsten Sinne des Wortes, während die andern, die

---

15 **zu kitzeln:** zu reizen | 18 **proponierte:** vorschlug, in Aussicht stellte | 26 **leichtfertig:** ohne tiefe Gedanken

wirklichen Schachspieler, Schach »ernsten«, um ein verwegenes neues Wort in die mir von Hitler verbotene deutsche Sprache einzuführen. Für Schach ist nun wie für die Liebe ein Partner unentbehrlich und ich wusste zur Stunde noch nicht, ob sich außer uns andere Schachliebhaber an Bord befanden. Um sie aus ihren Höhlen herauszulocken, stellte ich im Smoking Room eine primitive Falle auf, indem ich mich mit meiner Frau, obwohl sie noch schwächer spielt als ich, vogelstellerisch vor ein Schachbrett setzte. Und tatsächlich, wir hatten noch nicht sechs Züge getan, so blieb schon jemand im Vorübergehen stehen, ein zweiter erbat die Erlaubnis, zusehen zu dürfen; schließlich fand sich auch der erwünschte Partner, der mich zu einer Partie herausforderte. Er hieß McConnor und war ein schottischer Tiefbauingenieur, der wie ich hörte, bei Ölbohrungen in Kalifornien sich ein großes Vermögen gemacht hatte, von äußerem Ansehen ein stämmiger Mensch mit starken, fast quadratisch harten Kinnbacken, kräftigen Zähnen und einer satten Gesichtsfarbe, deren prononcierte Rötlichkeit wahrscheinlich zumindest teilweise reichlichem Genuss von Whisky zu verdanken war. Die auffällig breiten, fast athletisch vehementen Schultern machten sich leider auch im Spiel charaktermäßig bemerkbar, denn dieser Mister McConnor gehörte zu jener Sorte selbstbesessener Erfolgsmenschen, die auch im belanglosesten Spiel eine Niederlage schon als Herabsetzung ihres Persönlichkeitsbewusstseins empfinden. Gewöhnt, sich im Leben rücksichtslos durchzusetzen und verwöhnt vom faktischen Erfolg, war dieser massive Selfmade-man derart unerschütterlich von seiner Überlegenheit durchdrungen, dass jeder Widerstand ihn als ungebührliche Auflehnung und beinahe Be-

---

7 **Smoking Room:** Rauchsalon | 9 **vogelstellerisch:** als Lockmittel; wie ein Vogelsteller, der Vogelattrappen benutzt, um andere Vögel anzulocken und diese zu fangen | 19 **prononcierte:** herausstechende, starke | 22 **vehementen:** breiten | 28 **faktischen:** handgreiflichen | 31 **ungebührliche:** unverschämte

leidigung erregte. Als er die erste Partie verlor, wurde er mürrisch und begann umständlich und diktatorisch zu erklären, dies könne nur durch eine momentane Unaufmerksamkeit geschehen sein, bei der dritten machte er den Lärm im Nachbarraum für sein Versagen verantwortlich; nie war er gewillt, eine Partie zu verlieren, ohne sofort Revanche zu fordern. Anfangs amüsierte mich diese ehrgeizige Verbissenheit; schließlich nahm ich sie nur mehr als unvermeidliche Begleiterscheinung für meine eigentliche Absicht hin, den Weltmeister an unseren Tisch zu locken.

Am dritten Tage gelang es und gelang doch nur halb. Sei es, dass Czentovic uns vom Promenadedeck aus durch das Bordfenster vor dem Schachbrett beobachtet oder er nur zufälligerweise den Smoking Room mit seiner Anwesenheit beehrte – jedenfalls trat er, sobald er uns Unberufene seine Kunst ausüben sah, unwillkürlich einen Schritt näher und warf aus dieser gemessenen Distanz einen prüfenden Blick auf unser Brett. McConnor war gerade am Zuge. Und schon dieser eine Zug schien ausreichend, um Czentovic zu belehren, wie wenig ein weiteres Verfolgen unserer dilettantischen Bemühungen seines meisterlichen Interesses würdig sei. Mit derselben selbstverständlichen Geste, mit der unsereiner in einer Buchhandlung einen angebotenen schlechten Detektivroman weglegt, ohne ihn auch nur anzublättern, trat er von unserem Tische fort und verließ den Smoking Room. »Gewogen und zu leicht befunden«, dachte ich mir, ein bisschen verärgert durch diesen kühlen, verächtlichen Blick, und um meinem Unmut irgendwie Luft zu machen, äußerte ich zu McConnor:

»Ihr Zug scheint den Meister nicht sehr begeistert zu haben.«

---

20 f. **dilettantischen:** amateurhaften, in der Art eines Liebhabers einer Sache

»Welchen Meister?«

Ich erklärte ihm, jener Herr, der eben an uns vorübergegangen und mit missbilligendem Blick auf unser Spiel gesehen, sei der Weltschachmeister Czentovic gewesen. Nun, fügte ich bei, wir beide würden es überstehen, und ohne Herzleid uns mit seiner illustren Verachtung abfinden; arme Leute müssten eben mit Wasser kochen. Aber zu meiner Überraschung übte auf McConnor meine lässige Mitteilung eine völlig unerwartete Wirkung. Er wurde sofort erregt, vergaß unsere Partie, und sein Ehrgeiz begann geradezu hörbar zu pochen. Er habe keine Ahnung gehabt, dass Czentovic an Bord sei und Czentovic müsse unbedingt gegen ihn spielen. Er habe noch nie im Leben gegen einen Weltmeister gespielt außer einmal bei einer Simultanpartie mit vierzig anderen; schon das sei furchtbar spannend gewesen und er habe damals beinahe gewonnen. Ob ich den Schachmeister persönlich kenne? Ich verneinte. Ob ich ihn nicht ansprechen wolle und zu uns bitten? Ich lehnte ab mit der Begründung, Czentovic sei meines Wissens für neue Bekanntschaften nicht sehr zugänglich. Außerdem, was für einen Reiz sollte es einem Weltmeister bieten, mit uns drittklassigen Spielern sich abzugeben?

Nun, das von den drittklassigen Spielern hätte ich zu einem dermaßen ehrgeizigen Manne wie McConnor lieber nicht äußern sollen. Er lehnte sich verärgert zurück und erklärte schroff, er für seinen Teil könne nicht glauben, dass Czentovic die höfliche Aufforderung eines Gentlemans ablehnen werde; dafür werde er schon sorgen. Auf seinen Wunsch gab ich ihm eine kurze Personenbeschreibung des Weltmeisters und schon stürmte er, unser Schachbrett gleichgültig im Stich lassend, in unbeherrschter Ungeduld

---

6 **illustren Verachtung:** Verachtung durch einen berühmten Mann |
8 **lässige:** unbekümmerte

Czentovic auf das Promenadedeck nach. Wieder spürte ich, dass der Besitzer dermaßen breiter Schultern nicht zu halten war, sobald er einmal seinen Willen in eine Sache geworfen.

Ich wartete ziemlich gespannt. Nach etwa zehn Minuten kehrte McConnor zurück, nicht sehr aufgeräumt, wie mir schien.

»Nun?«, fragte ich.

»Sie haben recht gehabt«, antwortete er etwas verärgert. »Kein sehr angenehmer Herr. Ich stellte mich vor, erklärte ihm, wer ich sei. Er reichte mir nicht einmal die Hand. Ich versuchte ihm auseinanderzusetzen, wie stolz und geehrt wir alle an Bord sein würden, wenn er eine Simultanpartie gegen uns spielen wollte. Aber er hielt seinen Rücken verflucht steif; es täte ihm leid, aber er habe kontraktliche Verpflichtungen gegen seinen Agenten, die ihm ausdrücklich untersagten, während seiner ganzen Tournee ohne Honorar zu spielen. Sein Minimum sei zweihundertfünfzig Dollar pro Partie.«

Ich lachte. »Auf diesen Gedanken wäre ich eigentlich nie geraten, dass Figuren von Schwarz auf Weiß zu schieben ein derart einträgliches Geschäft sein kann. Nun, ich hoffe, Sie haben sich ebenso höflich empfohlen.«

Aber McConnor blieb vollkommen ernst. »Die Partie ist für morgen nachmittags drei Uhr angesetzt. Hier im Rauchsalon. Ich hoffe, wir werden uns nicht so leicht zu Brei schlagen lassen.«

»Wie? Sie haben ihm die zweihundertfünfzig Dollar bewilligt?«, rief ich ganz betroffen aus.

»Warum nicht? C'est son métier. Wenn ich Zahnschmerzen hätte und es wäre zufällig ein Zahnarzt an Bord,

6 **aufgeräumt**: gut gelaunt | 12 **auseinanderzusetzen**: zu erklären |
15 **kontraktliche**: vertragliche | 23 **sich ... empfohlen**: abgelehnt |
30 **C'est son métier**: (frz.) Das ist sein Beruf

würde ich auch nicht verlangen, dass er mir den Zahn umsonst ziehen soll. Der Mann hat ganz recht, dicke Preise zu machen; in jedem Fach sind die wirklichen Könner auch die besten Geschäftsleute. Und was mich betrifft: je klarer ein Geschäft, umso besser. Ich zahle lieber in Cash, als mir von einem Herrn Czentovic Gnaden erweisen zu lassen und mich am Ende noch bei ihm bedanken zu müssen. Schließlich habe ich in unserem Klub schon mehr an einem Abend verloren als zweihundertfünfzig Dollar und dabei mit keinem Weltmeister gespielt. Für ›drittklassige‹ Spieler ist es keine Schande, von einem Czentovic umgelegt zu werden.«

Es amüsierte mich, zu bemerken, wie tief ich McConnors Selbstgefühl mit dem einen unschuldigen Wort »drittklassiger Spieler« gekränkt hatte. Aber da er den teuren Spaß zu bezahlen gesonnen war, hatte ich nichts einzuwenden gegen seinen deplacierten Ehrgeiz, der mir endlich die Bekanntschaft meines Kuriosums vermitteln sollte. Wir verständigten eiligst die vier oder fünf Herren, die sich bisher als Schachspieler deklariert hatten, von dem bevorstehenden Ereignis und ließen, um von durchgehenden Passanten möglichst wenig gestört zu werden, nicht nur unseren Tisch sondern auch die Nachbartische für das bevorstehende Match im Voraus reservieren.

Am nächsten Tage war unsere kleine Gruppe zur vereinbarten Stunde vollzählig erschienen. Der Mittelplatz gegenüber dem Meister blieb selbstverständlich McConnor zugeteilt, der seine Nervosität entlud, indem er eine schwere Zigarre nach der andern anzündete und immer wieder unruhig auf die Uhr blickte. Aber der Weltmeister ließ – ich hatte nach den Erzählungen meines Freundes

---

17 **deplacierten:** unangebrachten | 18 **Kuriosums:** seltsamen Untersuchungsgegenstandes | 20 **deklariert:** ausgegeben | 24 **Match:** Wettkampf

derlei schon geahnt – gute zehn Minuten auf sich warten, wodurch allerdings sein Erscheinen dann erhöhten Aplomb erhielt. Er trat ruhig und gelassen auf den Tisch zu. Ohne sich vorzustellen – »Ihr wisst, wer ich bin, und wer ihr seid, interessiert mich nicht«, schien diese Unhöflichkeit zu besagen – begann er mit fachmännischer Trockenheit die sachlichen Anordnungen. Da eine Simultanpartie hier an Bord mangels an verfügbaren Schachbrettern unmöglich sei, schlage er vor, dass wir alle gemeinsam gegen ihn spielen sollten. Nach jedem Zuge werde er, um unsere Beratungen nicht zu stören, sich zu einem anderen Tisch am Ende des Raumes verfügen. Sobald wir unseren Gegenzug getan, sollten wir, da bedauerlicherweise keine Tischglocke zur Hand sei, mit dem Löffel gegen ein Glas klopfen. Als maximale Zugzeit schlage er zehn Minuten vor, falls ↗ wir keine andere Einteilung wünschten. Wir pflichteten selbstverständlich wie schüchterne Schüler jedem Vorschlage bei. Die Farbenwahl teilte Czentovic Schwarz zu; noch im Stehen tat er den ersten Gegenzug und wandte sich dann gleich dem von ihm vorgeschlagenen Warteplatz zu, wo er lässig hingelehnt eine illustrierte Zeitung durchblätterte.

Es hat wenig Sinn, über die Partie zu berichten. Sie endete selbstverständlich, wie sie enden musste, mit unserer totalen Niederlage und zwar bereits beim vierundzwanzigsten Zuge. Dass nun ein Weltschachmeister ein halbes Dutzend mittlerer oder untermittlerer Spieler mit der linken Hand niederfegt, war an sich wenig erstaunlich; verdrießlich wirkte eigentlich auf uns alle nur die präpotente Art, mit der Czentovic es uns allzu deutlich fühlen ließ, dass er uns mit der linken Hand erledigte. Er warf jedes Mal

---

2 f. **erhöhten Aplomb:** größere Aufmerksamkeit | 29 **präpotente:** anmaßende

nur einen scheinbar flüchtigen Blick auf das Brett, sah an uns so lässig vorbei, als ob wir selbst tote Holzfiguren wären, und diese impertinente Geste erinnerte unwillkürlich an die, mit der man einem räudigen Hund abgewendeten Blicks einen Brocken zuwirft. Bei einiger Feinfühligkeit hätte er meiner Meinung nach uns auf Fehler aufmerksam machen können oder durch ein freundliches Wort aufmuntern. Aber auch nach Beendigung der Partie äußerte dieser unmenschliche Schachautomat keine Silbe, sondern wartete, nachdem er »Matt« gesagt, regungslos vor dem Tische, ob man noch eine zweite Partie von ihm wünsche. Schon war ich aufgestanden, um, hilflos wie man immer gegen dickfellige Grobheit bleibt, durch eine Geste anzudeuten, dass mit diesem erledigten Dollargeschäft wenigstens meinerseits das Vergnügen unserer Bekanntschaft beendet sei, als zu meinem Ärger neben mir McConnor mit ganz heiserer Stimme sagte: »Revanche!«

Ich erschrak geradezu über den herausfordernden Ton; tatsächlich bot McConnor in diesem Augenblick eher den Eindruck eines Boxers vor dem Losschlagen als den eines höflichen Gentlemans. War es die unangenehme Art der Behandlung, die uns Czentovic hatte zuteil werden lassen oder nur sein pathologisch reizbarer Ehrgeiz – jedenfalls war McConnors Wesen vollkommen verändert. Rot im Gesicht bis hoch hinauf an das Stirnhaar, die Nüstern von innerem Druck stark aufgespannt, transpirierte er sichtlich, und von den verbissenen Lippen schnitt sich scharf eine Falte gegen sein kämpferisch vorgerecktes Kinn. Ich erkannte beunruhigt in seinen Augen jenes Flackern unbeherrschbarer Leidenschaft, wie sie sonst Menschen nur am Roulettetisch ergreift, wenn zum sechsten oder siebenten

---

3 **impertinente:** unverschämte | 23 **pathologisch:** krankhaft | 25 **Nüstern:** Nasenlöcher (eigentl. von Pferden) | 26 **transpirierte:** schwitzte

Mal bei immer verdoppeltem Einsatz nicht die richtige Farbe kommt. In diesem Augenblick wusste ich, dieser fanatisch Ehrgeizige würde, und sollte es ihn sein ganzes Vermögen kosten, gegen Czentovic so lange spielen und spielen und spielen, einfach oder doubliert, bis er wenigstens ein einziges Mal eine Partie gewonnen. Wenn Czentovic durchhielt, so hatte er an McConnor eine Goldgrube gefunden, aus der er bis Buenos Aires ein paar tausend Dollar schaufeln konnte.

Czentovic blieb unbewegt. »Bitte«, antwortete er höflich. »Die Herren spielen jetzt Schwarz.«

Auch die zweite Partie bot kein verändertes Bild, außer dass durch einige Neugierige unser Kreis nicht nur größer sondern auch lebhafter geworden war. McConnor blickte so starr auf das Brett, als wollte er die Figuren mit seinem Willen zu gewinnen magnetisieren; ich spürte ihm an, dass er auch tausend Dollar begeistert geopfert hätte für den Lustschrei »Matt!« gegen den kaltschnäuzigen Gegner. Merkwürdigerweise ging etwas von seiner verbissenen Erregung unbewusst in uns über. Jeder einzelne Zug wurde ungleich leidenschaftlicher diskutiert als vordem, immer hielten wir noch im letzten Moment einer den andern zurück, ehe wir uns einigten, das Zeichen zu geben, das Czentovic an unseren Tisch zurückrief. Allmählich waren wir beim siebzehnten Zuge angelangt und zu unserer eigenen Überraschung war eine Konstellation eingetreten, die verblüffend vorteilhaft schien, weil es uns gelungen war, den Bauern der c-Linie bis auf das vorletzte Feld c2 zu bringen; wir brauchten ihn nur vorzuschieben auf c1, um eine neue Dame zu gewinnen. Ganz behaglich war uns freilich nicht bei dieser allzu offenkundigen Chance; wir argwöhnten

---

5 **doubliert:** verdoppelt | 21 **vordem:** zuvor | 26 **Konstellation:** Spielstellung | 31 **argwöhnten:** hatten … den Verdacht

einmütig, dieser scheinbar von uns errungene Vorteil müsse von Czentovic, der doch die Situation viel weitblickender übersah, mit Absicht uns als Angelhaken zugeschoben sein. Aber trotz angestrengtem gemeinsamen Suchen und Diskutieren vermochten wir die versteckte Finte nicht wahrzunehmen. Schließlich, schon knapp am Rande der verstatteten Überlegungsfrist, entschlossen wir uns, den Zug zu wagen. Schon rührte McConnor den Bauern an, um ihn auf das letzte Feld zu schieben, als er sich jäh am Arm gepackt fühlte und jemand leise und heftig flüsterte: »Um Gotteswillen! Nicht!«

Unwillkürlich wandten wir uns alle um. Ein Herr von etwa fünfundvierzig Jahren, dessen schmales scharfes Gesicht mir schon vordem auf der Deckpromenade durch seine merkwürdige, fast kreidige Blässe aufgefallen war, musste in den letzten Minuten, indes wir unsere ganze Aufmerksamkeit dem Problem zuwandten, zu uns getreten sein. Hastig fügte er, unseren Blick spürend, hinzu:

»Wenn Sie jetzt eine Dame machen, schlägt er sie sofort mit dem Läufer c1, Sie nehmen mit dem Springer zurück … Aber inzwischen geht er mit seinem Freibauern auf d7, bedroht Ihren Turm, und auch wenn Sie mit dem Springer Schach sagen, verlieren Sie und sind nach neun bis zehn Zügen erledigt. Es ist beinahe dieselbe Konstellation, wie sie Aljechin gegen Bogoljubow 1922 im Pistyaner Großturnier initiiert hat.«

McConnor ließ erstaunt die Hand von der Figur und starrte nicht minder verwundert als wir alle auf den Mann, der wie ein unvermuteter Engel helfend vom Himmel kam. Jemand, der auf neun Züge im Voraus ein Matt berechnen konnte, musste ein Fachmann ersten Ranges sein, viel-

---

5 **Finte:** Falle | 7 **verstatteten:** genehmigten | 16 **indes:** während denen | 28 **minder:** weniger

leicht sogar ein Konkurrent um die Meisterschaft, der zum
gleichen Turnier reiste und sein plötzliches Kommen, sein
Eingreifen gerade in einem so kritischen Moment hatte etwas fast Übernatürliches. Als Erster fasste sich McConnor
zusammen:

»Was würden Sie raten?«, flüsterte er aufgeregt.

»Nicht gleich vorziehen, sondern zunächst ausweichen!
Vor allem mit dem König abrücken aus der gefährdeten Linie von g8 auf h7. Er wird wahrscheinlich den Angriff dann
auf die andere Flanke hinüberwerfen. Aber das parieren Sie
mit Turm c8 – c4; das kostet ihn in zwei Tempis einen Bauern und damit die Überlegenheit. Dann steht Freibauer gegen Freibauer, und wenn Sie sich richtig defensiv halten,
kommen Sie noch auf Remis. Mehr ist nicht herauszuholen.«

Wir staunten abermals. Die Präzision nicht minder als
die Raschheit seiner Berechnung hatte etwas Verwirren-
des; es war, als ob er die Züge aus einem gedruckten Buche
ablesen würde. Immerhin wirkte die unvermutete Chance,
dank seines Eingreifens unsere Partie gegen einen Weltmeister auf Remis zu bringen, zauberisch. Einmütig rück-
ten wir zur Seite, um ihm freieren Blick auf das Brett zu
gewähren. Noch einmal fragte McConnor:

»Also König g8 auf h7?«

»Jawohl! Ausweichen vor allem!«

McConnor gehorchte und wir klopften an das Glas.
Czentovic trat mit seinem gewohnt-gleichmütigen Schritt
an unseren Tisch und maß mit einem einzigen Blick den
Gegenzug. Dann zog er auf dem Königsflügel den Bauern
h2 – h4, genau wie es unser unbekannter Helfer vorausge-
sagt. Und schon flüsterte dieser aufgeregt:

---

10 **parieren Sie:** wehren Sie … ab | 11 **Tempis:** Schachzüge (Bewegungs-
einheiten) | 14 **Remis:** Patt, Unentschieden

»Turm vor, Turm vor, c8 auf c4, er muss dann zuerst den Bauern decken. Aber das wird ihm nichts helfen! Sie schlagen, ohne sich um seinen Freibauern zu kümmern, mit dem Springer c3 – d5, und das Gleichgewicht ist wieder hergestellt. Den ganzen Druck nach vorwärts, statt zu verteidigen.«

Wir verstanden nicht, was er meinte. Für uns war, was er sagte, chinesisch. Aber schon einmal in seinem Bann, zog McConnor, ohne zu überlegen, wie jener geboten. Wir schlugen abermals an das Glas, um Czentovic zurückzurufen. Zum ersten Male entschied er sich nicht rasch, sondern blickte gespannt auf das Brett. Unwillkürlich schoben sich seine Brauen zusammen. Dann tat er genau den Zug, den der Fremde uns angekündigt und wandte sich zum Gehen. Jedoch ehe er zurücktrat, geschah etwas Neues und Unerwartetes. Czentovic hob den Blick und musterte unsere Reihen; offenbar wollte er herausfinden, wer ihm mit einem Male so energischen Widerstand leistete.

Von diesem Augenblick an wuchs unsere Erregung ins Ungemessene. Bisher hatten wir ohne ernstliche Hoffnung gespielt, nun aber trieb der Gedanke, den kalten Hochmut Czentovics zu brechen, uns eine fliegende Hitze durch alle Pulse. Schon aber hatte unser neuer Freund den nächsten Zug angeordnet und wir konnten – die Finger zitterten mir, als ich den Löffel an das Glas schlug – Czentovic zurückrufen. Und nun kam unser erster Triumph. Czentovic, der bisher immer nur im Stehen gespielt, zögerte, zögerte und setzte sich schließlich nieder. Er setzte sich langsam und schwerfällig; damit aber war schon rein körperlich das bisherige Von-oben-herab zwischen ihm und uns aufgehoben. Wir hatten ihn genötigt, sich wenigstens räumlich auf eine Ebene mit uns zu begeben. Er überlegte lange, die Augen unbeweglich auf das Brett gesenkt, sodass man kaum mehr die Pupillen unter den schweren Lidern wahrnehmen konnte, und im angestrengten Nachdenken öffnete sich ihm allmählich der Mund, was seinem runden Gesicht ein etwas einfältiges Aussehen gab. Czentovic überlegte einige Minuten, dann tat er seinen Zug und stand auf. Und schon flüsterte unser Freund:

»Ein Hinhaltezug! Gut gedacht! Aber nicht darauf eingehen! Abtausch forcieren, unbedingt Abtausch, dann kommen wir auf Remis und kein Gott kann ihm helfen.«

McConnor gehorchte. Es begann in den nächsten Zügen zwischen den beiden – wir andern waren längst zu leeren Statisten herabgesunken – ein uns unverständliches Hin und Her. Nach etwa sieben Zügen sah Czentovic nach längerem Nachdenken auf und erklärte: »Remis!«

Einen Augenblick herrschte totale Stille. Man hörte plötzlich die Wellen rauschen und das Radio aus dem Salon herüberjazzen, man vernahm jeden Schritt von dem Promenadedeck und das leise feine Sausen des Winds, der durch die Fugen der Fenster fuhr. Keiner von uns atmete, es war zu plötzlich gekommen und wir alle noch geradezu erschrocken über das Unwahrscheinliche, dass dieser Unbekannte dem Weltmeister in einer schon halb verlorenen Partie seinen Willen aufgezwungen haben sollte. McConnor lehnte sich mit einem Ruck zurück, der zurückgehaltene Atem fuhr ihm hörbar in einem beglückten »Ah!« von den Lippen. Ich wiederum beobachtete Czentovic. Schon bei den letzten Zügen hatte mir geschienen, als ob er blässer geworden sei. Aber er verstand sich gut zusammenzuhalten. Er verharrte in seiner scheinbar gleichmütigen Star-

---

10 **Abtausch forcieren:** durch das Schlagen einer Figur einen Gegenschlag erzwingen | 14 **Statisten:** Zuschauer

re und fragte nur in lässigster Weise, während er die Figuren mit ruhiger Hand vom Brette schob:

»Wünschen die Herren noch eine dritte Partie?«

Er stellte die Frage rein sachlich, rein geschäftlich. Aber das Merkwürdige war: er hatte dabei nicht McConnor angeblickt, sondern scharf und gerade das Auge gegen unseren Retter gehoben. Wie ein Pferd am festeren Sitz einen neuen, einen besseren Reiter, musste er an den letzten Zügen seinen wirklichen, seinen eigentlichen Gegner erkannt haben. Unwillkürlich folgten wir seinem Blick und sahen gespannt auf den Fremden. Jedoch ehe dieser sich besinnen oder gar antworten konnte, hatte in seiner ehrgeizigen Erregung McConnor schon triumphierend ihm zugerufen:

»Selbstverständlich! Aber jetzt müssen Sie allein gegen ihn spielen! Sie allein gegen Czentovic!«

Doch nun ereignete sich etwas Unvorhergesehenes. Der Fremde, der merkwürdigerweise noch immer angestrengt auf das schon abgeräumte Schachbrett starrte, schrak auf, da er alle Blicke auf sich gerichtet und sich so begeistert angesprochen fühlte. Seine Züge verwirrten sich.

»Auf keinen Fall, meine Herren«, stammelte er sichtlich betroffen. »Das ist völlig ausgeschlossen ... ich komme gar nicht in Betracht ... Ich habe seit zwanzig, nein, fünfundzwanzig Jahren vor keinem Schachbrett gesessen und ... und ich sehe erst jetzt, wie ungehörig ich mich betragen habe, indem ich mich ohne Ihre Verstattung in Ihr Spiel einmengte ... Bitte entschuldigen Sie meine Vordringlichkeit ... Ich will gewiss nicht weiter stören.« Und noch ehe wir uns von unserer Überraschung zurechtgefunden, hatte er sich bereits zurückgezogen und das Zimmer verlassen.

»Aber das ist doch ganz unmöglich!«, dröhnte der tem-

---

18 **schrak auf:** schreckte hoch | 26 **Verstattung:** Erlaubnis | 27 **Vordringlichkeit:** Aufdringlichkeit

peramentvolle McConnor, mit der Faust aufschlagend. »Völlig ausgeschlossen, dass dieser Mann fünfundzwanzig Jahre nicht Schach gespielt haben soll! Er hat doch jeden Zug, jede Gegenpointe auf fünf, auf sechs Züge vorausberechnet. So etwas kann niemand aus dem Handgelenk. Das ist doch völlig ausgeschlossen – nicht wahr?«

Mit der letzten Frage hatte sich McConnor unwillkürlich an Czentovic gewandt. Aber der Weltmeister blieb unerschütterlich kühl.

»Ich vermag darüber kein Urteil abzugeben. Jedenfalls hat der Herr etwas befremdlich und interessant gespielt; deshalb habe ich ihm auch absichtlich eine Chance gelassen.« Gleichzeitig lässig aufstehend fügte er in seiner sachlichen Art bei:

»Sollte der Herr oder die Herren morgen eine abermalige Partie wünschen, so stehe ich von drei Uhr ab zur Verfügung.«

Wir konnten ein leises Lächeln nicht unterdrücken. Jeder von uns wusste, dass Czentovic unserem unbekannten Helfer keineswegs großmütig eine Chance gelassen und diese seine Bemerkung nichts anderes als eine naive Ausflucht war, um sein eigenes Versagen zu maskieren. Umso heftiger wuchs unser Verlangen, einen derart unerschütterlichen Hochmut gedemütigt zu sehen. Mit einem Mal war über uns friedliche, lässige Bordbewohner eine wilde, ehrgeizige Kampflust gekommen, denn der Gedanke, dass gerade auf unserem Schiff mitten auf dem Ozean dem Schachmeister die Palme entrungen werden könnte – ein Rekord, der dann von allen Telegraphenbüros über die ganze Welt hingeblitzt würde – faszinierte uns in herausfordernster Weise. Dazu kam noch der Reiz des Mysteriö-

---

28 **Palme:** hier: Siegeszeichen

sen, der von dem unerwarteten Eingreifen unseres Retters gerade im kritischen Momente ausging, und der Kontrast seiner fast ängstlichen Bescheidenheit mit dem unerschütterlichen Selbstbewusstsein des Professionellen. Wer war dieser Unbekannte? Hatte hier der Zufall ein noch unentdecktes Schachgenie zutage gefördert? Oder verbarg uns aus einem unerforschlichen Grunde ein berühmter Meister seinen Namen? Alle diese Möglichkeiten erörterten wir in aufgeregtester Weise: selbst die verwegensten Hypothesen waren uns nicht verwegen genug, um die rätselhafte Scheu und das überraschende Bekenntnis des Fremden mit seiner doch unverkennbaren Spielkunst in Einklang zu bringen. In einer Hinsicht jedoch blieben wir alle einig: keinesfalls auf das Schauspiel eines neuerlichen Kampfes zu verzichten. Wir beschlossen, alles zu versuchen, damit unser Helfer am nächsten Tage eine Partie gegen Czentovic spiele, für deren materielles Risiko McConnor aufzukommen sich verpflichtete. Da sich inzwischen durch Umfrage beim Steward herausgestellt hatte, dass der Unbekannte ein Österreicher sei, wurde mir als seinem Landsmann der Auftrag zugeteilt, ihm unsere Bitte zu unterbreiten.

Ich benötigte nicht lange, um auf dem Promenadedeck den so eilig Entflüchteten aufzufinden. Er lag auf seinem Deck-chair und las. Ehe ich auf ihn zutrat, nahm ich die Gelegenheit wahr, ihn zu betrachten. Der scharfgeschnittene Kopf ruhte in der Haltung leichter Ermüdung auf dem Kissen; abermals fiel mir die merkwürdige Blässe des verhältnismäßig jungen Gesichtes besonders auf, dem die Haare blendend weiß die Schläfen rahmten; ich hatte, ich weiß nicht warum, den Eindruck, dieser Mann müsse plötzlich gealtert sein. Kaum ich auf ihn zutrat, erhob er

---

9 **Hypothesen:** Annahmen | 10 **verwegen:** gewagt | 17 **aufzukommen:** die Kosten zu übernehmen | 18 **Umfrage:** Befragung | 21 **zu unterbreiten:** vorzutragen | 24 **Deck-chair:** Liegestuhl

sich höflich und stellte sich mit einem Namen vor, der mir
sofort vertraut war als der einer hochangesehenen altöster-
reichischen Familie. Ich erinnerte mich, dass ein Träger
dieses Namens zu dem engsten Freundeskreis Schuberts
gehört hatte und auch einer der Leibärzte des alten Kaisers
dieser Familie entstammte. Als ich Dr. B. unsere Bitte
übermittelte, die Herausforderung Czentovics anzuneh-
men, war er sichtlich verblüfft. Es erwies sich, dass er keine
Ahnung gehabt hatte, bei jener Partie einen Weltmeister
und gar den zur Zeit erfolgreichsten ruhmreich bestanden
zu haben. Aus irgendeinem Grunde schien diese Mitteilung auf ihn besonderen Eindruck zu machen, denn er erkundigte sich immer und immer wieder von neuem, ob ich
dessen gewiss sei, dass sein Gegner tatsächlich ein aner-
kannter Weltmeister gewesen. Ich merkte bald, dass dieser
Umstand meinen Auftrag erleichterte, und hielt es nur,
seine Feinfühligkeit spürend, für ratsam, zu verschweigen,
dass das materielle Risiko einer allfälligen Niederlage zu
Lasten von McConnors Kasse ginge. Nach längerem Zögern erklärte sich Dr. B. schließlich zu einem Match bereit,
doch nicht, ohne ausdrücklich gebeten zu haben, die anderen Herren nochmals zu warnen, sie möchten keineswegs
auf sein Können übertriebene Hoffnungen setzen.

»Denn«, fügte er mit einem versonnenen Lächeln hinzu,
»ich weiß wahrhaftig nicht, ob ich fähig bin, eine Schachpartie nach allen Regeln richtig zu spielen. Bitte glauben Sie
mir, dass es keineswegs falsche Bescheidenheit war, wenn
ich sagte, dass ich seit meiner Gymnasialzeit, also seit mehr
als zwanzig Jahren, keine Schachfigur mehr berührt habe.
Und selbst zu jener Zeit galt ich bloß als Spieler ohne son-
derliche Begabung.«

18 **allfälligen:** eventuellen

Er sagte dies in einer so natürlichen Weise, dass ich nicht den leisesten Zweifel an seiner Aufrichtigkeit hegen durfte. Dennoch konnte ich nicht umhin, meiner Verwunderung Ausdruck zu geben, wie genau er an jede einzelne Kombination der verschiedensten Meister sich erinnern könne; immerhin müsse er sich doch wenigstens theoretisch mit Schach viel beschäftigt haben. Dr. B. lächelte abermals in jener merkwürdig traumhaften Art.

»Viel beschäftigt! – weiß Gott, das kann man wohl sagen, dass ich mich mit Schach viel beschäftigt habe. Aber das geschah unter ganz besonderen, ja völlig einmaligen Umständen. Es war dies eine ziemlich komplizierte Geschichte, und sie könnte allenfalls als kleiner Beitrag gelten zu unserer lieblichen großen Zeit. Wenn Sie eine halbe Stunde Geduld haben …«

Er hatte auf den Deck-chair neben sich gedeutet. Gerne folgte ich seiner Einladung. Wir waren ohne Nachbarn. Dr. B. nahm die Lesebrille von den Augen, legte sie zur Seite und begann:

»Sie waren so freundlich zu äußern, dass Sie sich als Wiener des Namens meiner Familie erinnerten. Aber ich vermute, Sie werden kaum von der Rechtsanwaltskanzlei gehört haben, die ich gemeinsam mit meinem Vater und späterhin allein leitete, denn wir führten keine Causen, die publizistisch in der Zeitung abgehandelt wurden und vermieden aus Prinzip neue Klienten. In Wirklichkeit hatten wir eigentlich gar keine richtige Anwaltspraxis mehr, sondern beschränkten uns ausschließlich auf die Rechtsberatung und vor allem Vermögensverwaltung der großen Klöster, denen mein Vater als früherer Abgeordneter der klerikalen Partei nahestand. Außerdem war uns – heute,

---

24 **Causen:** Rechtsfälle

da die Monarchie der Geschichte angehört, darf man wohl schon darüber sprechen – die Verwaltung der Fonds einiger Mitglieder der kaiserlichen Familie anvertraut. Diese Verbindungen zum Hof und zum Klerus – mein Onkel war Leibarzt des Kaisers, ein anderer Abt in Seitenstetten – reichten schon zwei Generationen zurück; wir hatten sie nur zu erhalten, und es war eine stille, eine, möchte ich sagen, lautlose Tätigkeit, die uns durch dies ererbte Vertrauen zugeteilt war, eigentlich nicht viel mehr erfordernd als strengste Diskretion und Verlässlichkeit, zwei Eigenschaften, die mein verstorbener Vater im höchsten Maße besaß; ihm ist es tatsächlich gelungen, sowohl in den Inflationsjahren als in jenen des Umsturzes durch seine Umsicht seinen Klienten beträchtliche Vermögenswerte zu erhalten. Als dann Hitler in Deutschland ans Ruder kam und gegen den Besitz der Kirche und der Klöster seine Raubzüge begann, gingen auch von jenseits der Grenze mancherlei Verhandlungen und Transaktionen, um wenigstens den mobilen Besitz vor Beschlagnahme zu retten, durch unsere Hände, und von gewissen geheimen politischen Verhandlungen der Kurie und des Kaiserhauses wussten wir beide mehr, als die Öffentlichkeit je erfahren wird. Aber gerade die Unauffälligkeit unserer Kanzlei – wir führten nicht einmal ein Schild an der Tür – sowie die Vorsicht, dass wir beide alle Monarchistenkreise in Wien ostentativ mieden, bot sichersten Schutz vor unberufenen Nachforschungen. De facto hat in all diesen Jahren keine Behörde in Österreich jemals vermutet, dass die geheimen Kuriere des Kaiserhauses ihre wichtigste Post immer gerade in unserer unscheinbaren Kanzlei im vierten Stock abholten oder abgaben.

Nun hatten die Nationalsozialisten, längst ehe sie ihre

Armeen gegen die Welt aufrüsteten, eine andere ebenso gefährliche und geschulte Armee in allen Nachbarländern zu organisieren begonnen, die Legion der Benachteiligten, der Zurückgesetzten, der Gekränkten. In jedem Amt, in jedem Betrieb waren ihre sogenannten ›Zellen‹ eingenistet, an jeder Stelle bis hinauf in die Privatzimmer von Dollfuß und Schuschnigg saßen ihre Horchposten und Spione. Selbst in unserer unscheinbaren Kanzlei hatten sie, wie ich leider erst zu spät erfuhr, ihren Mann. Es war freilich nicht mehr als ein jämmerlicher und talentloser Kanzlist, den ich auf Empfehlung eines Pfarrers einzig deshalb angestellt hatte, um der Kanzlei nach außen hin den Anschein eines regulären Betriebs zu geben; in Wirklichkeit verwerteten wir ihn zu nichts anderem als zu unschuldigen Botengängen, ließen ihn das Telephon bedienen und die Akten ordnen, das heißt jene Akten, die völlig gleichgültig und unbedenklich waren. Die Post durfte er niemals öffnen, alle wichtigen Briefe schrieb ich, ohne Kopien zu hinterlegen, eigenhändig mit der Maschine, jedes wesentliche Dokument nahm ich selbst nach Hause und verlegte geheime Besprechungen ausschließlich in die Priorei des Klosters oder in das Ordinationszimmer meines Onkels. Dank dieser Vorsichtsmaßnahmen bekam dieser Horchposten von den eigentlichen Vorgängen nichts zu sehen; aber durch einen unglücklichen Zufall musste der ehrgeizige und eitle Bursche bemerkt haben, dass man ihm misstraute und hinter seinem Rücken allerhand Interessantes geschah. Vielleicht hat einmal in meiner Abwesenheit einer der Kuriere unvorsichtigerweise von ›Seiner Majestät‹ gesprochen statt wie vereinbart vom ›Baron Fern‹, oder der Lump musste Briefe widerrechtlich geöffnet haben – jedenfalls holte er

---

21 **Priorei:** Besprechungszimmer der Klosterleitung | 22 **Ordinationszimmer:** Sprechzimmer

sich, ehe ich Verdacht schöpfen konnte, von München oder Berlin Auftrag, uns zu überwachen. Erst viel später, als ich längst in Haft saß, erinnerte ich mich, dass seine anfängliche Lässigkeit im Dienst sich in den letzten Monaten in plötzlichen Eifer verwandelt hatte und er sich mehrfach beinahe zudringlich angeboten, meine Korrespondenz zur Post zu bringen. Ich kann mich einer gewissen Unvorsichtigkeit also nicht freisprechen, aber sind schließlich nicht auch die größten Diplomaten und Militärs der Welt von der Hitlerei heimtückisch überspielt worden? Wie genau und liebevoll die Gestapo mir längst ihre Aufmerksamkeit zugewandt hatte, erwies dann äußerst handgreiflich der Umstand, dass noch am selben Abend, da Schuschnigg seine Abdankung gab und einen Tag, ehe Hitler in Wien einzog, ich bereits von SS-Leuten festgenommen war. Die allerwichtigsten Papiere war es mir glücklicherweise noch gelungen zu verbrennen, kaum ich im Radio die Abschiedsrede Schuschniggs gehört, und den Rest der Dokumente mit den unentbehrlichen Belegen für die im Ausland deponierten Vermögenswerte der Klöster und zweier Erzherzöge schickte ich – wirklich in letzter Minute, ehe die Burschen mir die Tür einhämmerten – in einem Waschkorb versteckt durch meine alte verlässliche Haushälterin zu meinem Onkel hinüber.«

Dr. B. unterbrach, um sich eine Zigarre anzuzünden. Bei dem aufflackernden Licht bemerkte ich, dass ein nervöses Zucken um seinen rechten Mundwinkel lief, das mir schon vorher aufgefallen war und, wie ich beobachten konnte, sich jede paar Minuten wiederholte. Es war nur eine flüchtige Bewegung, kaum stärker als ein Hauch, aber sie gab dem ganzen Gesicht eine merkwürdige Unruhe.

---

10 **überspielt:** hinters Licht geführt | 11 **Gestapo:** (Abk.) Geheime Staatspolizei | 20 **deponierten:** aufbewahrten

»Sie vermuten nun wahrscheinlich, dass ich Ihnen jetzt vom Konzentrationslager erzählen werde, in das doch alle jene überführt wurden, die unserem alten Österreich die Treue gehalten, von den Erniedrigungen, Martern, Torturen, die ich dort erlitten. Aber nichts dergleichen geschah. Ich kam in eine andere Kategorie. Ich wurde nicht zu jenen Unglücklichen getrieben, an denen man mit körperlichen und seelischen Erniedrigungen ein lang aufgespartes Ressentiment austobte, sondern jener anderen, ganz kleinen Gruppe zugeteilt, aus der die Nationalsozialisten entweder Geld oder wichtige Informationen herauszupressen hofften. An sich war meine bescheidene Person natürlich der Gestapo völlig uninteressant. Sie mussten aber erfahren haben, dass wir die Strohmänner, die Verwalter und Vertrauten ihrer erbittertsten Gegner gewesen, und was sie von mir zu erpressen hofften, war belastendes Material: Material gegen die Klöster, denen sie Vermögensverschiebungen nachweisen wollten, Material gegen die kaiserliche Familie und all jene, die in Österreich sich aufopfernd für die Monarchie eingesetzt. Sie vermuteten – und wahrhaftig nicht zu Unrecht – dass von jenen Fonds, die durch unsere Hände gegangen waren, wesentliche Bestände sich noch ihrer Raublust unzugänglich versteckten; so holten sie mich darum gleich am ersten Tag heran, um mit ihren bewährten Methoden mir diese Geheimnisse abzuzwingen. Leute meiner Kategorie, aus denen wichtiges Material oder Geld herausgepresst werden sollte, wurden deshalb nicht in Konzentrationslager abgeschoben sondern für eine besondere Behandlung aufgespart. Sie erinnern sich vielleicht, dass unser Kanzler und anderseits der Baron Rothschild, dessen Verwandten sie Millionen abzunötigen hoff-

---

4 f. **Torturen:** Quälereien, Folterungen | 8 f. **Ressentiment:** feindliches Gefühl | 14 **Strohmänner:** bei einem Geschäft vorgeschobene Beteiligte, nur damit die eigentlichen Geldgeber anonym bleiben können

ten, keineswegs hinter Stacheldraht in ein Gefangenenlager gesetzt wurden sondern unter scheinbarer Bevorzugung in ein Hotel, das Hotel Metropole, das zugleich Hauptquartier der Gestapo war, überführt, wo sie jeder ein abgesondertes Zimmer erhielten. Auch mir unscheinbarem Mann wurde diese Auszeichnung erwiesen.

Ein eigenes Zimmer in einem Hotel – nicht wahr, das klingt an sich äußerst human? Aber Sie dürfen mir glauben, dass man uns keineswegs eine humanere sondern nur eine raffiniertere Methode zudachte, wenn man uns ›Prominente‹ nicht zu zwanzig in eine eiskalte Baracke stopfte sondern in einem leidlich geheizten und separaten Hotelzimmer behauste. Denn die Pression, mit der man uns das benötigte ›Material‹ abzwingen wollte, sollte auf subtilere Weise funktionieren als durch rohe Prügel oder körperliche Folter: durch die denkbar raffinierteste Isolierung. Man tat uns nichts – man stellte uns nur in das vollkommene Nichts, denn bekanntlich erzeugt kein Ding auf Erden einen solchen Druck auf die menschliche Seele als das Nichts. Indem man uns jeden einzeln in ein völliges Vakuum sperrte, in ein Zimmer, das hermetisch von der Außenwelt abgeschlossen war, sollte statt von außen durch Prügel und Kälte jener Druck von innen erzeugt werden, der uns schließlich die Lippen aufsprengte. Auf den ersten Blick sah das mir zugewiesene Zimmer durchaus nicht unbehaglich aus. Es hatte eine Tür, einen Tisch, ein Bett, einen Sessel, eine Waschschüssel, ein vergittertes Fenster. Aber die Tür blieb Tag und Nacht verschlossen, auf dem Tisch durfte kein Buch, keine Zeitung, kein Blatt Papier, kein Bleistift liegen, das Fenster starrte eine Feuermauer an; rings um mein Ich und selbst an meinem eigenen Körper war das

---

10 **zudachte:** zuteilte | 13 **Pression:** Druck | 14 **subtilere:** feinere | 21 **hermetisch:** undurchdringlich

vollkommene Nichts konstruiert. Man hatte mir jeden Gegenstand abgenommen, die Uhr, damit ich nicht wisse um die Zeit, den Bleistift, dass ich nicht etwa schreiben könne, das Messer, damit ich mir nicht die Adern öffnen könne; selbst die kleinste Betäubung wie eine Zigarette wurde mir versagt. Nie sah ich außer dem Wärter, der kein Wort sprechen und auf keine Frage antworten durfte, ein menschliches Gesicht, nie hörte ich eine menschliche Stimme; Auge, Ohr, alle Sinne bekamen von morgens bis nachts und von nachts bis morgens nicht die geringste Nahrung, man blieb mit sich, mit seinem Körper und den vier oder fünf stummen Gegenständen Tisch, Bett, Fenster, Waschschüssel rettungslos allein; man lebte wie ein Taucher unter der Glasglocke im schwarzen Ozean dieses Schweigens und wie ein Taucher sogar, der schon ahnt, dass das Seil nach der Außenwelt abgerissen ist und er nie zurückgeholt werden wird aus der lautlosen Tiefe. Es gab nichts zu tun, nichts zu hören, nichts zu sehen, überall und ununterbrochen war um einen das Nichts, die völlige raumlose und zeitlose Leere. Man ging auf und ab und mit einem gingen die Gedanken auf und ab, auf und ab, immer wieder. Aber selbst Gedanken, so substanzlos sie scheinen, brauchen einen Stützpunkt, sonst beginnen sie zu rotieren und sinnlos um sich selbst zu kreisen; auch sie ertragen nicht das Nichts. Man wartete auf etwas, von morgens bis abends, und es geschah nichts. Man wartete wieder und wieder. Es geschah nichts. Man wartete, wartete, wartete, man dachte, man dachte, man dachte, bis einem die Schläfen schmerzten. Nichts geschah. Man blieb allein. Allein. Allein.

Das dauerte vierzehn Tage, die ich außerhalb der Zeit, außerhalb der Welt lebte. Wäre damals ein Krieg ausgebro-

---

4 **mir die Adern öffnen:** mich umbringen | 22 **substanzlos:** gegenstandslos | 23 **rotieren:** drehen

chen, ich hätte es nicht erfahren; meine Welt bestand doch nur aus Tisch, Tür, Bett, Waschschüssel, Sessel, Fenster und Wand, und immer starrte ich auf dieselbe Tapete an derselben Wand; jede Linie ihres gezackten Musters hat sich wie mit ehernem Stichel eingegraben bis in die innerste Falte meines Gehirns, so oft habe ich sie angestarrt. Dann endlich begannen die Verhöre. Man wurde plötzlich abgerufen, ohne recht zu wissen, ob es Tag war oder Nacht. Man wurde gerufen und durch ein paar Gänge geführt, man wusste nicht wohin; dann wartete man irgendwo und wusste nicht wo, und stand plötzlich vor einem Tisch, um den ein paar uniformierte Leute saßen. Auf dem Tisch lag ein Stoß Papier: die Akten, von denen man nicht wusste, was sie enthielten, und dann begannen die Fragen, die echten und die falschen, die klaren und die tückischen, die Deckfragen und Fangfragen, und während man antwortete, blätterten fremde böse Finger in den Papieren, von denen man nicht wusste, was sie enthielten, und fremde böse Finger schrieben etwas in ein Protokoll und man wusste nicht, was sie schrieben. Aber das Fürchterlichste bei diesen Verhören für mich war, dass ich nie erraten und errechnen konnte, was die Gestapoleute von den Vorgängen in meiner Kanzlei tatsächlich wussten und was sie erst von mir herausholen wollten. Wie ich Ihnen bereits sagte, hatte ich die eigentlich belastenden Papiere meinem Onkel in letzter Stunde durch die Haushälterin geschickt. Aber hatte er sie erhalten? Hatte er sie nicht erhalten? Und wieviel hatte jener Kanzlist verraten? Wieviel hatten sie an Briefen aufgefangen, wieviel inzwischen in den deutschen Klöstern, die wir vertraten, einem ungeschickten Geistlichen vielleicht schon abgepresst? Und sie fragten und fragten.

---

5 **mit ehernem Stichel:** mit einem Werkzeug aus Erz

Welche Papiere ich für jenes Kloster gekauft, mit welchen Banken ich korrespondiert, ob ich einen Herrn Soundso kenne oder nicht, ob ich Briefe aus der Schweiz erhalten und aus Steenookerzeel? Und da ich nie errechnen konnte, wieviel sie schon ausgekundschaftet hatten, wurde jede Antwort zur ungeheuersten Verantwortung. Gab ich etwas zu, was ihnen nicht bekannt war, so lieferte ich vielleicht unnötig jemanden ans Messer. Leugnete ich zu viel ab, so schädigte ich mich selbst.

Aber das Verhör war noch nicht das Schlimmste. Das Schlimmste war das Zurückkommen nach dem Verhör in mein Nichts, in dasselbe Zimmer mit demselben Tisch, demselben Bett, derselben Waschschüssel, derselben Tapete. Denn kaum allein mit mir, versuchte ich zu rekonstruieren, was ich am klügsten hätte antworten sollen und was ich das nächste Mal sagen müsste, um den Verdacht wieder abzulenken, den ich vielleicht mit einer unbedachten Bemerkung heraufbeschworen. Ich überlegte, ich durchdachte, ich durchforschte, ich überprüfte meine eigene Aussage auf jedes Wort, das ich dem Untersuchungsrichter gesagt, ich rekapitulierte jede Frage, die sie gestellt, jede Antwort, die ich gegeben, ich versuchte zu erwägen, was sie davon protokolliert haben könnten und wusste doch, dass ich das nie errechnen und erfahren könnte. Aber diese Gedanken, einmal angekurbelt im leeren Raum, hörten nicht auf, im Kopf zu rotieren, immer wieder von neuem, in immer anderen Kombinationen, und das ging hinein bis in den Schlaf; jedes Mal nach einer Vernehmung durch die Gestapo übernahmen ebenso unerbittlich meine eigenen Gedanken die Marter des Fragens und Forschens und Quälens, und vielleicht noch grausamer sogar, denn jene Verneh-

---

21 **rekapitulierte:** brachte mir ... in Erinnerung

mungen endeten doch immerhin nach einer Stunde und diese nie dank der tückischen Tortur dieser Einsamkeit. Und immer um mich nur der Tisch, der Schrank, das Bett, die Tapete, das Fenster, keine Ablenkung, kein Buch, keine Zeitung, kein fremdes Gesicht, kein Bleistift, um etwas zu notieren, kein Zündholz, um damit zu spielen, nichts, nichts, nichts. Jetzt erst gewahrte ich, wie teuflisch sinnvoll, wie psychologisch mörderisch erdacht dieses System des Hotelzimmers war. Im Konzentrationslager hätte man vielleicht Steine karren müssen, bis einem die Hände bluteten und die Füße in den Schuhen abfroren, man wäre zusammengepackt gelegen mit zwei Dutzend Menschen in Stank und Kälte. Aber man hätte Gesichter gesehen, man hätte ein Feld, einen Karren, einen Baum, einen Stern, irgend-, irgendetwas anstarren können, indes hier immer dasselbe um einen stand, immer dasselbe, das entsetzliche Dasselbe. Hier war nichts, was mich ablenken konnte von meinen Gedanken, von meinen Wahnvorstellungen, von meinem krankhaften Rekapitulieren. Und gerade das beabsichtigten sie – ich sollte doch würgen und würgen an meinen Gedanken, bis sie mich erstickten und ich nicht anders konnte als sie schließlich ausspeien, als auszusagen, alles auszusagen, was sie wollten, endlich das Material und die Menschen auszuliefern. Allmählich spürte ich, wie meine Nerven unter diesem grässlichen Druck des Nichts sich zu lockern begannen, und ich spannte, der Gefahr bewusst, bis zum Zerreißen meine Nerven, irgendeine Ablenkung zu finden oder zu erfinden. Um mich zu beschäftigen, versuchte ich alles, was ich jemals auswendig gelernt, zu rezitieren und zu rekonstruieren, die Volkshymne und die Spielreime der Kinderzeit, den Homer des Gymnasiums,

---

2 **tückischen Tortur:** grausamen Folter | 13 **Stank:** Gestank | 15 **indes:** währenddessen | 31 **Homer:** altgriechischer Dichter (9. Jh. v. Chr.), Verfasser der *Odyssee*

die Paragraphen des Bürgerlichen Gesetzbuchs. Dann versuchte ich zu rechnen, beliebige Zahlen zu addieren, zu dividieren, aber mein Gedächtnis hatte im Leeren keine festhaltende Kraft. Ich konnte mich auf nichts konzentrieren. Immer fuhr und flackerte derselbe Gedanke dazwischen: Was wissen sie? Was wissen sie nicht? Was habe ich gestern gesagt, was muss ich das nächste Mal sagen?

Dieser eigentlich unbeschreibbare Zustand dauerte vier Monate. Nun – vier Monate, das schreibt sich leicht hin: just ein Dutzend Buchstaben! Das spricht sich leicht aus: vier Monate – vier Silben. In einer Viertelsekunde hat die Lippe rasch so einen Laut artikuliert: vier Monate! Aber niemand kann schildern, kann messen, kann veranschaulichen, nicht einem andern, nicht sich selbst, wie lange eine Zeit im Raumlosen, im Zeitlosen währt, und keinem kann man erklären, wie es einen zerfrisst und zerstört, dieses Nichts und Nichts und Nichts um einen, dies immer nur Tisch und Bett und Waschschüssel und Tapete, und immer das Schweigen, immer derselbe Wärter, der, ohne einen anzusehen, das Essen hereinschiebt, immer dieselben Gedanken, die im Nichts um das eine kreisen, bis man irre wird. An kleinen Zeichen wurde ich beunruhigt gewahr, dass mein Gehirn in Unordnung geriet. Im Anfang war ich bei den Vernehmungen noch innerlich klar gewesen, ich hatte ruhig und überlegt ausgesagt; jenes Doppeldenken, was ich sagen sollte und was nicht, hatte noch funktioniert. Jetzt konnte ich schon die einfachsten Sätze nur mehr stammelnd artikulieren, denn während ich aussagte, starrte ich hypnotisiert auf die Feder, die protokollierend über das Papier lief, als wollte ich meinen eigenen Worten nachlaufen. Ich spürte, meine Kraft ließ nach, ich spürte, immer

---

10 **just:** nur | 22 **wurde ich ... gewahr:** merkte ich | 29 **Feder:** geschrieben wurde mit einem Füller oder mit Tinte und Feder

näher rückte der Augenblick, wo ich, um mich zu retten, alles sagen würde, was ich wusste und vielleicht noch mehr, wo ich, um dem Würgen dieses Nichts zu entkommen, zwölf Menschen und ihre Geheimnisse verraten würde, ohne mir selbst damit mehr zu schaffen als einen Atemzug Rast. An einem Abend war es wirklich schon so weit: als der Wärter zufällig in diesem Augenblick des Erstickens mir das Essen brachte, schrie ich ihm plötzlich nach: ›Führen Sie mich zur Vernehmung! Ich will alles sagen! Ich will alles aussagen! Ich will sagen, wo die Papiere sind, wo das Geld liegt! Alles werde ich sagen, alles!‹ Glücklicherweise hörte er mich nicht mehr. Vielleicht wollte er mich auch nicht hören.

In dieser äußersten Not ereignete sich nun etwas Unvorhergesehenes, was Rettung bot, Rettung zum mindesten für eine gewisse Zeit. Es war Ende Juli, ein dunkler, verhangener, regnerischer Tag: ich erinnere mich an diese Einzelheit deshalb ganz genau, weil der Regen gegen die Scheiben im Gang trommelte, durch den ich zur Vernehmung geführt wurde. Im Vorzimmer des Untersuchungszimmers musste ich warten. Immer musste man bei jeder Vorführung warten: auch dies Wartenlassen gehörte zur Technik. Erst riss man einem die Nerven auf durch den Anruf, durch das plötzliche Abholen aus der Zelle mitten in der Nacht, und dann, wenn man schon eingestellt war auf die Vernehmung, schon Verstand und Willen gespannt hatte zum Widerstand, ließen sie einen warten, sinnlossinnvoll warten, eine Stunde, zwei Stunden, drei Stunden vor der Vernehmung, um den Körper müde, um die Seele mürbe zu machen. Und man ließ mich besonders lange warten an diesem Donnerstag, den 27. Juli, zwei geschlagene Stunden im Vorzimmer stehend warten; ich erinnere mich auch an dieses Datum aus einem bestimmten Grunde so genau, denn in diesem Vorzimmer, wo ich – selbstverständlich ohne mich niedersetzen zu dürfen, – zwei Stunden mir die Beine in den Leib stehen musste, hing ein Kalender, und ich vermag Ihnen nicht zu erklären, wie in meinem Hunger nach Gedrucktem, nach Geschriebenem, ich diese eine Zahl, diese wenigen Worte ›27. Juli‹ an der Wand anstarrte und anstarrte; ich fraß sie gleichsam in mein Gehirn hinein. Und dann wartete ich wieder und wartete und starrte auf die Tür, wann sie sich endlich öffnen würde, und überlegte zugleich, was die Inquisitoren mich diesmal fragen könnten und wusste doch, dass sie mich etwas ganz anderes fragen würden als worauf ich mich vorbereitete. Aber trotz alledem war die Qual dieses Wartens und Stehens zugleich eine Wohltat, eine Lust, weil dieser Raum immerhin ein anderes Zimmer war als das meine, etwas größer und mit zwei Fenstern statt einem und ohne das Bett und ohne die Waschschüssel und ohne den bestimmten Riss am Fensterbrett, den ich Millionen Mal betrachtet. Die Tür war anders angestrichen, ein anderer Sessel stand an der Wand und links ein Registerschrank mit Akten sowie eine Garderobe mit Aufhängern, an denen drei oder vier nasse militärische Mäntel, die Mäntel meiner Folterknechte hingen. Ich hatte also etwas Neues, etwas anderes zu betrachten, endlich einmal etwas anderes mit meinen ausgehungerten Augen, und sie krallten sich gierig an jede Einzelheit. Ich beobachtete an diesen Mänteln jede Falte, ich bemerkte zum Beispiel einen Tropfen, der von einem der nassen Kragen niederhing, und so lächerlich es für Sie klingen mag, ich wartete mit einer unsinnigen Erregung,

---

12 **Inquisitoren:** eigtl.: Kirchenangehörige, die Ungläubige verfolgen, anklagen, foltern und töten, hier: Untersuchungsrichter

ob dieser Tropfen endlich abrinnen wollte die Falte entlang oder ob er noch gegen die Schwerkraft sich wehren und länger haften bleiben würde – ja, ich starrte und starrte minutenlang atemlos auf diesen Tropfen, als hinge mein Leben daran. Dann, als er endlich niedergerollt war, zählte ich wieder die Knöpfe auf den Mänteln nach, acht an dem einen Rock, acht an dem andern, zehn an dem dritten, dann wieder verglich ich die Aufschläge; all diese lächerlichen, unwichtigen Kleinigkeiten betasteten, umspielten, umgriffen meine verhungerten Augen mit einer Gier, die ich nicht zu beschreiben vermag. Und plötzlich blieb mein Blick starr an etwas haften. Ich hatte entdeckt, dass an einem der Mäntel die Seitentasche etwas aufgebauscht war. Ich trat näher heran und glaubte an der rechteckigen Form der Ausbuchtung zu erkennen, was diese etwas geschwellte Tasche in sich barg: ein Buch! Mir begannen die Knie zu zittern: ein BUCH! Vier Monate lang hatte ich kein Buch in der Hand gehabt, und schon die bloße Vorstellung eines Buches, in dem man aneinandergereihte Worte sehen konnte, Zeilen, Seiten und Blätter, eines Buches, aus dem man andere, neue, fremde, ablenkende Gedanken lesen, verfolgen, sich ins Hirn nehmen könnte, hatte etwas Berauschendes und gleichzeitig Betäubendes. Hypnotisiert starrten meine Augen auf die kleine Wölbung, die jenes Buch innerhalb der Tasche formte, sie glühten diese eine unscheinbare Stelle an, als ob sie ein Loch in den Mantel brennen wollten. Schließlich konnte ich meine Gier nicht verhalten; unwillkürlich schob ich mich näher heran. Schon der Gedanke, ein Buch durch den Stoff mit den Händen wenigstens antasten zu können, machte mir die Nerven in den Fingern bis zu den Nägeln glühen. Fast ohne es

zu wissen, drückte ich mich immer näher heran. Glücklicherweise achtete der Wärter nicht auf mein gewiss sonderbares Gehaben; vielleicht auch schien es ihm nur natürlich, dass ein Mensch nach zwei Stunden aufrechten Stehens sich ein wenig an die Wand lehnen wollte. Schließlich
stand ich schon ganz nahe bei dem Mantel, und mit Absicht
hatte ich die Hände hinter mich auf den Rücken gelegt, damit sie unauffällig den Mantel berühren könnten. Ich taste-
te den Stoff an und fühlte tatsächlich durch den Stoff etwas
Rechteckiges, etwas das biegsam war und leise knisterte –
ein Buch! Ein Buch! Und wie ein Schuss durchzuckte mich
der Gedanke: stiehl dir das Buch! Vielleicht gelingt es und
du kannst dir's in der Zelle verstecken und dann lesen, lesen, lesen, endlich wieder einmal lesen! Der Gedanke,
kaum in mich gedrungen, wirkte wie ein starkes Gift; mit
einem Mal begannen mir die Ohren zu brausen und das
Herz zu hämmern, meine Hände wurden eiskalt und ge-
horchten nicht mehr. Aber nach der ersten Betäubung
drängte ich mich leise und listig noch näher an den Mantel,
ich drückte, immer dabei den Wächter fixierend, mit den
hinter dem Rücken versteckten Händen das Buch von un-
ten aus der Tasche höher und höher. Und dann: ein Griff,
ein leichter, vorsichtiger Zug und plötzlich hatte ich das
kleine, nicht sehr umfangreiche Buch in der Hand. Jetzt erst
erschrak ich vor meiner Tat. Aber ich konnte nicht mehr
zurück. Jedoch wohin damit? Ich schob den Band hinter
meinem Rücken unter die Hose an die Stelle, wo sie der
Gürtel hielt, und von dort allmählich hinüber an die Hüfte,
damit ich es beim Gehen mit der Hand militärisch an der
Hosennaht festhalten könnte. Nun galt es die erste Probe.
Ich trat von der Garderobe weg, einen Schritt, zwei Schrit-

---

20 **fixierend:** fest anblickend

te, drei Schritte. Es ging. Es war möglich, das Buch im Gehen festzuhalten, wenn ich nur die Hand fest an den Gürtel presste.

Dann kam die Vernehmung. Sie erforderte meinerseits mehr Anstrengung als je, denn eigentlich konzentrierte ich meine ganze Kraft, während ich antwortete, nicht auf meine Aussage, sondern vor allem darauf, das Buch unauffällig festzuhalten. Glücklicherweise fiel das Verhör diesmal kurz aus und ich brachte das Buch heil in mein Zimmer – ich will Sie nicht aufhalten mit all den Einzelheiten, denn einmal rutschte es von der Hose gefährlich ab mitten im Gang und ich musste einen schweren Hustenanfall simulieren, um mich niederzubücken und es wieder heil unter den Gürtel zurückzuschieben. Aber welch eine Sekunde dafür, als ich damit in meine Hölle zurücktrat, endlich allein und doch nicht mehr allein!

Nun vermuten Sie wahrscheinlich, ich hätte sofort das Buch gepackt, betrachtet, gelesen. Keineswegs! Erst wollte ich die Vorlust auskosten, dass ich ein Buch mit mir hatte, die künstlich verzögernde und meine Nerven wunderbar erregende Lust, mir auszuträumen, welche Art Buch dies gestohlene am liebsten sein sollte: sehr eng gedruckt vor allem, viele, viele Lettern enthaltend, viele, viele dünne Blätter, damit ich länger daran zu lesen hätte. Und dann wünschte ich mir, es sollte ein Werk sein, das mich geistig anstrengte, nichts Flaches, nichts Leichtes sondern etwas, das man lernen, auswendig lernen konnte, Gedichte, und am besten – welcher verwegene Traum! – Goethe oder Homer. Aber schließlich konnte ich meine Gier, meine Neugier nicht länger verhalten. Hingestreckt auf das Bett, so dass der Wärter, wenn er plötzlich die Tür aufmachen soll-

---

12 f. **simulieren:** vortäuschen | 23 **Lettern:** Buchstaben | 30 **verhalten:** zurückhalten

te, mich nicht ertappen könnte, zog ich zitternd unter dem Gürtel den Band heraus.

Der erste Blick war eine Enttäuschung und sogar eine Art erbitterter Ärger: dieses mit so ungeheurer Gefahr erbeutete, mit so glühender Erwartung aufgesparte Buch war nichts anderes als ein Schachrepetitorium, eine Sammlung von hundertfünfzig Meisterpartien. Wäre ich nicht verriegelt, verschlossen gewesen, ich hätte im ersten Zorn das Buch durch ein offenes Fenster geschleudert, denn was sollte, was konnte ich mit diesem Nonsens beginnen? Ich hatte als Knabe im Gymnasium wie die meisten anderen mich ab und zu aus Langeweile vor einem Schachbrett versucht. Aber was sollte mir dies theoretische Zeug? Schach kann man doch nicht spielen ohne einen Partner und schon gar nicht ohne Steine, ohne Brett. Verdrossen blätterte ich die Seiten durch, um vielleicht dennoch etwas Lesbares zu entdecken, eine Einleitung, eine Anleitung; aber ich fand nichts als die nackten quadratischen Schemata der einzelnen Meisterpartien und darunter mir zunächst unverständliche Zeichen, a1 – a2, Sf1 – Sg3 und so weiter. Alles das schien mir eine Art Algebra, zu der ich keinen Schlüssel fand. Erst allmählich enträtselte ich, dass die Buchstaben a, b, c, für die Längsreihen, die Zahlen 1 bis 8 für die Querreihen eingesetzt waren und den jeweiligen Stand jeder einzelnen Figur bestimmten; damit bekamen die rein graphischen Schemata immerhin eine Sprache. Vielleicht, überlegte ich, könnte ich mir in meiner Zelle eine Art Schachbrett konstruieren und dann versuchen, diese Partien nachzuspielen; wie ein himmlischer Wink erschien es mir, dass mein Betttuch sich zufällig als grob kariert erwies. Richtig zusammengefaltet, ließ es sich am

---

6 **Schachrepetitorium:** Übungsbuch für Schachspieler

Ende so legen, um vierundsechzig Felder zusammenzube-
kommen. Ich versteckte also zunächst das Buch unter der
Matratze und riss nur die erste Seite heraus. Dann begann
ich aus kleinen Krümeln, die ich mir von meinem Brot ab-
sparte, in selbstverständlich lächerlich unvollkommener
Weise die Figuren des Schachs, König, Königin und so
weiter zurechtzumodeln; nach endlosem Bemühen konnte ich es schließlich unternehmen, auf dem karierten Betttuch die im Schachbuch abgebildete Position zu rekonstruieren. Als ich aber versuchte, die ganze Partie nachzuspielen, misslang es zunächst vollkommen mit meinen
lächerlichen Krümelfiguren, von denen ich zur Unterschei-
dung die eine Hälfte mit Staub dunkler gefärbt hatte. Ich
verwirrte mich in den ersten Tagen unablässig; fünfmal,
zehnmal, zwanzigmal musste ich diese eine Partie immer
wieder von Anfang an beginnen. Aber wer auf Erden ver-
fügte über so viel ungenützte und nutzlose Zeit wie ich,
der Sklave des Nichts, wem stand so viel unermessliche
Gier und Geduld zu Gebot? Nach sechs Tagen spielte ich
schon die Partie tadellos zu Ende, nach weiteren acht Tagen benötigte ich nicht einmal die Krümel auf dem Betttuch mehr, um mir die Position aus dem Schachbuch zu
vergegenständlichen, und nach weiteren acht Tagen wurde
auch das karierte Betttuch entbehrlich; automatisch ver-
wandelten sich die anfangs abstrakten Zeichen des Buches,
a1, a2, c7, c8 hinter meiner Stirn zu visuellen, zu plastischen
Positionen. Die Umstellung war restlos gelungen: ich hatte
das Schachbrett mit seinen Figuren nach innen projiziert
und überblickte auch dank der bloßen Formeln die jeweilige Position, so wie einem geübten Musiker der bloße An-
blick einer Partitur schon genügt, um alle Stimmen und

---

9 f. **zu rekonstruieren:** nachzubilden | 26 **visuellen:** sichtbaren | **plasti-
schen:** anschaulichen | 28 **projiziert:** übertragen

ihren Zusammenklang zu hören. Nach weiteren vierzehn Tagen war ich mühelos imstande, jede Partie aus dem Buch auswendig – oder wie der Fachausdruck lautet: blind – nachzuspielen; jetzt erst begann ich zu verstehen, welche unermessliche Wohltat mein frecher Diebstahl mir erobert. Denn ich hatte mit einem Male eine Tätigkeit – eine sinnlose, eine zwecklose, wenn Sie wollen, aber doch eine, die das Nichts um mich zunichte machte, ich besaß mit den hundertfünfzig Turnierpartien eine wunderbare Waffe gegen die erdrückende Monotonie des Raumes und der Zeit. Um mir den Reiz der neuen Beschäftigung ungebrochen zu bewahren, teilte ich mir von nun ab jeden Tag genau ein: zwei Partien morgens, zwei Partien nachmittags, abends dann noch eine rasche Wiederholung. Damit war mein Tag, der sich sonst wie Gallert formlos dehnte, ausgefüllt, ich war beschäftigt, ohne mich zu ermüden, denn das Schachspiel besitzt den wunderbaren Vorzug, durch Bannung der geistigen Energien auf ein eng begrenztes Feld selbst bei angestrengtester Denkleistung das Gehirn nicht zu erschlaffen, sondern eher seine Agilität und Spannkraft zu schärfen. Allmählich begann bei dem zuerst bloß mechanischen Nachspielen der Meisterpartien ein künstlerisches, ein lusthaftes Verständnis in mir zu erwachen. Ich lernte die Feinheiten, die Tücken und Schärfen in Angriff und Verteidigung verstehen, ich erfasste die Technik des Vorausdenkens, Kombinierens, Ripostierens und erkannte bald die persönliche Note jedes einzelnen Schachmeisters in seiner individuellen Führung so unfehlbar wie man Verse eines Dichters schon aus wenigen Zeilen feststellt; was als bloß zeitfüllende Beschäftigung begonnen, wurde Genuss, und die Gestalten der großen Schachstrategen wie

3 **blind:** vgl. Anm. zu 10,31 f. | 10 **Monotonie:** Eintönigkeit | 15 **Gallert:** gelatineartige Masse, wie Pudding | 20 **Agilität:** Beweglichkeit | 26 **Ripostierens:** des unmittelbaren Gegenangriffs | 27 **Note:** Spieleigenschaft

Aljechin, Lasker, Bogoljubow, Tartakower traten als geliebte Kameraden in meine Einsamkeit. Unendliche Abwechslung beseelte täglich die stumme Zelle, und gerade die Regelmäßigkeit meiner Exerzitien gab meiner Denkfähigkeit die schon erschütterte Sicherheit zurück; ich empfand mein Gehirn aufgefrischt und durch die ständige Denkdisziplin sogar noch gleichsam neu geschliffen. Dass ich klarer und konziser dachte, erwies sich vor allem bei den Vernehmungen; unbewusst hatte ich mich auf dem Schachbrett in der Verteidigung gegen falsche Drohungen und verdeckte Winkelzüge vervollkommnet; von diesem Zeitpunkt an gab ich mir bei den Vernehmungen keine Blöße mehr, und mir dünkte sogar, dass die Gestapoleute mich allmählich mit einem gewissen Respekt zu betrachten begannen. Vielleicht fragten sie sich im Stillen, da sie alle anderen zusammenbrechen sahen, aus welchen geheimen Quellen ich allein die Kraft solch unerschütterlichen Widerstands schöpfte.

Diese meine Glückszeit, da ich die hundertfünfzig Partien jenes Buches Tag für Tag systematisch nachspielte, dauerte etwa zweieinhalb bis drei Monate. Dann geriet ich unvermuteterweise an einen toten Punkt. Plötzlich stand ich neuerdings vor dem Nichts. Denn sobald ich jede einzelne dieser Partien zwanzig- oder dreißigmal durchgespielt hatte, verlor sie den Reiz der Neuheit, der Überraschung, ihre vordem so aufregende, so anregende Kraft war erschöpft. Welchen Sinn hatte es, nochmals und nochmals Partien zu wiederholen, die ich Zug um Zug längst auswendig kannte? Kaum ich die erste Eröffnung getan, klöppelte sich ihr Ablauf gleichsam automatisch in mir ab, es gab keine Überraschung mehr, keine Spannungen, keine Probleme. Um

---

4 **Exerzitien:** (geistige) Übungen | 8 **konziser:** konzentrierter, schärfer | 13 **dünkte:** schien | 29 **klöppelte:** hier: spulte

mich zu beschäftigen, um mir die schon unentbehrlich ge-
wordene Anstrengung und Ablenkung zu schaffen, hätte
ich eigentlich ein anderes Buch mit anderen Partien ge-
braucht. Da dies aber vollkommen unmöglich war, gab es
nur einen Weg auf dieser sonderbaren Irrbahn: ich musste
mir statt der alten Partien neue erfinden. Ich musste versuchen, mit mir selbst oder vielmehr gegen mich selbst zu
spielen.

Ich weiß nun nicht, bis zu welchem Grade Sie über die
geistige Situation bei diesem Spiel der Spiele nachgedacht
haben. Aber schon die flüchtigste Überlegung dürfte ausreichen, um klarzumachen, dass beim Schach als einem rei-
nen, vom Zufall abgelösten Denkspiel es logischerweise
eine Absurdität bedeutet, gegen sich selbst spielen zu wollen. Das Attraktive des Schachs beruht doch im Grunde
einzig darauf, dass sich seine Strategie in zwei verschiedenen Gehirnen verschieden entwickelt, dass in diesem geistigen Krieg Schwarz die jeweiligen Manöver von Weiß
nicht kennt und ständig zu erraten und zu durchkreuzen
sucht, während seinerseits wiederum Weiß die geheimen
Absichten von Schwarz zu überholen und zu parieren
strebt. Bildeten nun Schwarz und Weiß ein- und dieselbe
Person, so ergäbe sich der widersinnige Zustand, dass ein-
und dasselbe Gehirn gleichzeitig etwas wissen und doch
nicht wissen sollte, dass es als Partner Weiß funktionie-
rend, auf Kommando völlig vergessen könnte, was es eine
Minute vorher als Partner Schwarz gewollt und beabsich-
tigt. Ein solches Doppeldenken setzt eigentlich eine vollkommene Spaltung des Bewusstseins voraus, ein beliebi-
ges Auf- und Abblendenkönnen der Gehirnfunktion wie
bei einem mechanischen Apparat; gegen sich selbst spielen

zu wollen, bedeutet also im Schach eine solche Paradoxie¹
wie über seinen eigenen Schatten zu springen.

Nun, um mich kurz zu fassen, diese Unmöglichkeit, diese Absurdität habe ich in meiner Verzweiflung monatelang
versucht. Aber ich hatte keine Wahl als diesen Widersinn,
um nicht dem puren Irrsinn oder einem völligen geistigen
Marasmus² zu verfallen. Ich war durch meine fürchterliche
Situation gezwungen, diese Spaltung in ein Ich Schwarz
und ein Ich Weiß zumindest zu versuchen, um nicht er-
drückt zu werden von dem grauenhaften Nichts um mich.«

Dr. B. lehnte sich zurück in dem Liegestuhl und schloss
für eine Minute die Augen. Es war, als ob er eine verstören-
de Erinnerung gewaltsam unterdrücken wollte. Wieder lief
das merkwürdige Zucken, das er nicht zu beherrschen
wusste, um den linken Mundwinkel. Dann richtete er sich
in seinem Lehnstuhl etwas höher auf.

»So – bis zu diesem Punkte hoffe ich Ihnen alles ziemlich
verständlich erklärt zu haben. Aber ich bin leider keineswegs gewiss, ob ich das Weitere Ihnen noch ähnlich deutlich veranschaulichen kann. Denn diese neue Beschäftigung erforderte eine so unbedingte Anspannung des Gehirns, dass sie jede gleichzeitige Selbstkontrolle unmöglich
machte. Ich deutete Ihnen schon an, dass meiner Meinung
nach es an sich schon Nonsens³ bedeutet, Schach gegen sich
selber spielen zu wollen; aber selbst diese Absurdität hätte
immerhin noch eine minimale Chance mit einem realen
Schachbrett vor sich, weil das Schachbrett durch seine
Realität immerhin noch eine gewisse Distanz, eine materielle Exterritorialisierung⁴ erlaubt. Vor einem wirklichen
Schachbrett mit wirklichen Figuren kann man Überlegungspausen einschalten, man kann sich schon rein kör-

---

1 **Paradoxie:** unauflösbarer Widerspruch; vgl. Anm. zu 54,13f. | 7 **Maras-
mus:** Kräfteschwund | 24 **Nonsens:** Sinnlosigkeit | 28f. **eine materielle
Exterritorialisierung:** einen räumlichen Abstand zum Gegenstand, Exterritorialisierung: hier: Verlagerung nach außen, auf ein anderes Gebiet

perlich bald auf die eine Seite, bald auf die andere des Tisches stellen und damit die Situation bald vom Standpunkt Schwarz, bald vom Standpunkt Weiß ins Auge fassen. Aber genötigt, wie ich es war, diese Kämpfe gegen mich selbst oder wenn Sie wollen, mit mir selbst in einen imaginären Raum zu projizieren, war ich genötigt, in meinem Bewusstsein die jeweilige Stellung auf den vierundsechzig Feldern deutlich festzuhalten und außerdem nicht nur die momentane Figuration sondern auch schon die möglichen weiteren Züge von beiden Partnern mir auszukalkulieren und zwar – ich weiß, wie absurd dies alles klingt – mir doppelt und dreifach zu imaginieren nein, sechsfach, achtfach, zwölffach, für jedes meiner Ich, für Schwarz und Weiß immer schon vier und fünf Züge voraus. Ich musste – verzeihen Sie, dass ich Ihnen zumute, diesen Irrsinn durchzudenken – bei diesem Spiel im abstrakten Raum der Phantasie als Spieler Weiß vier oder fünf Züge vorausberechnen und ebenso als Spieler Schwarz, also alle sich in der Entwicklung ergebenden Situationen gewissermaßen mit zwei Gehirnen vorauskombinieren, mit dem Gehirn Weiß und dem Gehirn Schwarz. Aber selbst diese Selbstzerteilung war noch nicht das Gefährlichste an meinem abstrusen Experiment sondern dass ich durch das selbständige Ersinnen von Partien mit einem Mal den Boden unter den Füßen verlor und ins Bodenlose geriet. Das bloße Nachspielen der Meisterpartien, wie ich es in den vorhergehenden Wochen geübt, war schließlich nichts als eine reproduktive Leistung gewesen, ein reines Rekapitulieren einer gegebenen Materie und als solches nicht anstrengender als wenn ich Gedichte auswendig gelernt hätte oder Gesetzesparagraphen memoriert; es war eine begrenzte, eine diszi-

---

4 **genötigt**: gezwungen | 5 f. **in einen imaginären Raum zu projizieren**: in einen vorgestellten Raum zu verlagern | 9 **Figuration**: Figurenstellung | 22 f. **abstrusen**: sonderbaren | 27 f. **reproduktive**: bloß wiederholende | 31 **memoriert**: auswendig gelernt

plinierte Tätigkeit und darum ein ausgezeichnetes exerci-
tium mentalis. Meine zwei Partien, die ich morgens, die
zwei, die ich nachmittags probte, stellten ein bestimmtes
Pensum dar, das ich ohne jeden Einsatz von Erregung erledigte; sie ersetzten mir eine normale Beschäftigung und
überdies hatte ich, wenn ich mich im Ablauf einer Partie
irrte oder nicht weiterwusste, an dem Buche noch immer
einen Halt. Nur darum war diese Tätigkeit für meine er-
schütterten Nerven eine so heilsame und eher beruhigende
gewesen, weil ein Nachspielen fremder Partien nicht mich
selber ins Spiel brachte; ob Schwarz oder Weiß siegte, blieb
mir gleichgültig, es waren doch Aljechin oder Bogoljubow,
die um die Palme des Champions kämpften, und meine eigene Person, mein Verstand, meine Seele genossen einzig
als Zuschauer, als Kenner die Peripetien und Schönheiten
jener Partien. Von dem Augenblick an, da ich aber gegen
mich zu spielen versuchte, begann ich mich unbewusst herauszufordern. Jedes meiner beiden Ich, mein Ich Schwarz
und mein Ich Weiß hatten zu wetteifern gegeneinander
und gerieten jedes für sein Teil in einen Ehrgeiz, in eine
Ungeduld zu siegen, zu gewinnen; ich fieberte als Ich
Schwarz nach jedem Zuge, was das Ich Weiß nun tun würde. Jedes meiner beiden Ich triumphierte, wenn das andere
einen Fehler machte und erbitterte sich gleichzeitig über
sein eigenes Ungeschick.

Das alles scheint sinnlos und in der Tat wäre ja eine solche künstliche Schizophrenie, eine solche Bewusstseinsspaltung mit ihrem Einschuss an gefährlicher Erregtheit
bei einem normalen Menschen in normalem Zustande un-
denkbar. Aber vergessen Sie nicht, dass ich aus aller Nor-
malität gewaltsam gerissen war, ein Häftling, unschuldig

---

1 f. **exercitium mentalis:** (lat.) eine geistige Übung | 4 **Pensum:** Lern-
stoff | 13 **Palme:** hier: Siegeszeichen | 15 **Peripetien:** unerwartete, plötz-
liche Umschwünge | 27 **Schizophrenie:** hier vereinfachend: Aufspaltung
des Bewusstseins | 28 **Einschuss:** Beimengung

eingesperrt, seit Monaten raffiniert mit Einsamkeit gemartert, ein Mensch, der seine aufgehäufte Wut längst gegen irgendetwas entladen wollte. Und da ich nichts anderes hatte als dies unsinnige Spiel gegen mich selbst, fuhr meine Wut, meine Rachelust fanatisch in dieses Spiel hinein. Etwas in mir wollte recht behalten, und ich hatte doch nur dieses andere Ich in mir, das ich bekämpfen konnte; so steigerte ich mich während des Spiels in eine fast manische Erregung. Im Anfang hatte ich noch ruhig und überlegt gedacht, ich hatte Pausen eingeschaltet zwischen einer und der andern Partie, um mich von der Anstrengung zu erholen; aber allmählich erlaubten meine gereizten Nerven mir kein Warten mehr. Kaum mein Ich Weiß einen Zug getan, stieß schon mein Ich Schwarz fiebrig vor; kaum war eine Partie beendigt, so forderte ich mich schon zur nächsten heraus, denn jedes Mal war doch eines meiner beiden Schach-Ich von dem andern besiegt worden und verlangte Revanche. Nie werde ich auch nur annähernd sagen können, wie viele Partien ich infolge dieser irrwitzigen Unersättlichkeit während dieser letzten Monate in meiner Zelle gegen mich selbst gespielt – vielleicht tausend, vielleicht mehr. Es war eine Besessenheit, deren ich mich nicht erwehren konnte; von früh bis nachts dachte ich an nichts als an Läufer und Bauern und Turm und König und a und b und c und Matt und Rochade, mit meinem ganzen Sein und Fühlen stieß ich mich in das karierte Quadrat. Aus der Spielfreude war eine Spiellust geworden, aus der Spiellust ein Spielzwang, eine Manie, eine frenetische Wut, die nicht nur meine wachen Stunden sondern allmählich auch meinen Schlaf durchdrang. Ich konnte nur Schach denken, nur in Schachbewegungen, Schachproblemen; manchmal

---

8 **manische:** besessene | 13 **Kaum mein Ich … getan:** Kaum hatte mein Ich … getan | 25 **Rochade:** Doppelzug, bei dem König und Turm bewegt werden | 28 **Manie:** Besessenheit, Zwang | **frenetische:** rasende

wachte ich mit feuchter Stirne auf und erkannte, dass ich sogar im Schlaf unbewusst weitergespielt haben musste, und wenn ich von Menschen träumte, so geschah es ausschließlich in den Bewegungen des Läufers, des Turms, im Vor und Zurück des Rösselsprungs. Selbst wenn ich zum Verhör gerufen wurde, konnte ich nicht mehr konzis an meine Verantwortung denken; ich habe die Empfindung, dass bei den letzten Vernehmungen ich mich ziemlich konfus ausgedrückt haben muss, denn die Verhörenden blickten sich manchmal befremdet an. Aber in Wirklichkeit wartete ich, während sie fragten und berieten, in meiner unseligen Gier doch nur darauf, wieder zurückgeführt zu werden in meine Zelle, um mein Spiel, mein irres Spiel fortzusetzen, eine neue Partie und noch eine und noch eine. Jede Unterbrechung wurde mir zur Störung; selbst die Viertelstunde, da der Wärter die Gefängniszelle aufräumte, die zwei Minuten, da er mir das Essen brachte, quälten meine fiebrige Ungeduld; manchmal stand abends der Napf mit der Mahlzeit noch unberührt, ich hatte über dem Spiel vergessen zu essen. Das Einzige, was ich körperlich empfand, war ein fürchterlicher Durst; es muss wohl schon das Fieber dieses ständigen Denkens und Spielens gewesen sein; ich trank die Flasche leer in zwei Zügen und quälte den Wärter um mehr und fühlte dennoch im nächsten Augenblick die Zunge schon wieder trocken im Munde. Schließlich steigerte sich meine Erregung während des Spielens – und ich tat nichts anderes mehr von morgens bis nachts – zu solchem Grade, dass ich nicht einen Augenblick mehr stillzusitzen vermochte; ununterbrochen ging ich, während ich die Partien überlegte, auf und ab, immer schneller und schneller und schneller auf und ab, auf und ab, auf und ab,

---

5 **Rösselsprungs:** der Bewegung des Pferdes im Schach | 6 **konzis:** konzentriert, präzise | 8 f. **konfus:** verworren

und immer hitziger, je mehr sich die Entscheidung der Partie näherte; die Gier zu gewinnen, zu siegen, mich selbst zu besiegen, wurde allmählich zu einer Art Wut, ich zitterte vor Ungeduld, denn immer war dem einen Schach-Ich in mir das andere zu langsam. Das eine trieb das andere an; so lächerlich es Ihnen vielleicht scheint, ich begann mich zu beschimpfen ›schneller, schneller!‹ oder ›vorwärts, vorwärts!‹, wenn das eine Ich in mir dem andern Ich nicht rasch genug ripostierte. Selbstverständlich bin ich mir heute ganz im Klaren, dass dieser mein Zustand schon eine durchaus pathologische Form geistiger Überreizung war, für die ich eben keinen andern Namen finde als den bisher medizinisch ungekannten: eine Schachvergiftung. Schließlich begann diese monomanische Besessenheit nicht nur mein Gehirn sondern auch meinen Körper zu attackieren. Ich magerte ab, ich schlief unruhig und verstört, ich brauchte beim Erwachen jedes Mal eine besondere Anstrengung, die bleiernen Augenlider aufzuzwingen; manchmal fühlte ich mich derart schwach, dass wenn ich ein Trinkglas anfasste, ich es nur mit Mühe bis zu den Lippen brachte, so zitterten mir die Hände; aber kaum das Spiel begann, überkam mich eine wilde Kraft: ich lief auf und ab, auf und ab mit geballten Fäusten, und wie durch einen roten Nebel hörte ich manchmal meine eigene Stimme, wie sie heiser und böse ›Schach!‹ oder ›Matt!‹ sich selber zuschrie.

Wie dieser grauenhafte, dieser unbeschreibbare Zustand zur Krise kam, vermag ich selbst nicht zu berichten. Alles was ich darüber weiß, ist, dass ich eines Morgens aufwachte und es war ein anderes Erwachen als sonst. Mein Körper war gleichsam abgelöst von mir, ich ruhte weich und wohlig. Eine dichte gute Müdigkeit, wie ich sie seit Monaten

---

9 **ripostierte:** erwiderte | 11 **pathologische:** (seelisch) krankhafte | 14 **monomanische:** von einer Zwangsvorstellung besessene

nicht gekannt, lag auf meinen Lidern, lag so warm und
wohltätig auf ihnen, dass ich mich zuerst gar nicht ent-
schließen konnte, die Augen aufzutun. Minuten lag ich
schon wach und genoss noch diese schwere Dumpfheit,
dies laue Liegen mit wollüstig betäubten Sinnen. Auf einmal war mir, als ob ich hinter mir Stimmen hörte, lebendi-
ge menschliche Stimmen, leise flüsternde Stimmen, die
Worte sprachen, und Sie können sich mein Entzücken
nicht ausdenken, denn ich hatte doch seit Monaten, seit
bald einem Jahr keine anderen Worte gehört als die harten,
scharfen und bösen von der Richterbank. ›Du träumst‹,
sagte ich mir. ›Du träumst! Tu' keinesfalls die Augen auf!
Lass ihn noch dauern, diesen Traum, sonst siehst du wieder
die verfluchte Zelle um dich, den Stuhl und den Wasch-
tisch und den Tisch und die Tapete mit dem ewig gleichen
Muster. Du träumst – träume weiter!‹

Aber die Neugier behielt die Oberhand. Ich schlug langsam und vorsichtig die Lider auf. Und Wunder: es war ein
anderes Zimmer, in dem ich mich befand, ein Zimmer,
breiter, geräumiger als meine Hotelzelle. Ein ungegittertes
Fenster ließ freies Licht herein und einen Blick auf Bäume,
grüne, im Wind wogende Bäume statt meiner starren Feuermauer, weiß und glatt glänzten die Wände, weiß und
hoch hob sich über mir die Decke – wahrhaftig, ich lag in
einem neuen, einem fremden Bett und wirklich, es war
kein Traum, hinter mir flüsterten leise menschliche Stimmen. Unwillkürlich muss ich mich in meiner Überraschung heftig geregt haben, denn schon hörte ich hinter
mir einen nahenden Schritt. Eine Frau kam weichen Gelenks heran, eine Frau mit weißer Haube über dem Haar,
eine Pflegerin, eine Schwester. Ein Schauer des Entzückens

---

5 **laue:** entspannte | **wollüstig:** lustvoll | 9 **ausdenken:** sich vorstellen |
29 f. **weichen Gelenks:** nicht staksig oder ungelenkig, mit weichem
Gang

lief über mich: Ich hatte seit einem Jahr keine Frau gesehen. Ich starrte die holde Erscheinung an, und es muss ein wilder, ekstatischer Aufblick gewesen sein, denn ›Ruhig! Bleiben Sie ruhig!‹ beschwichtigte mich dringlich die Nahende. Ich aber lauschte nur auf ihre Stimme – war das nicht ein Mensch, der sprach? Gab es wirklich noch auf Erden einen Menschen, der mich nicht verhörte, nicht quälte? Und dazu noch – unfassbares Wunder! – eine weiche, warme, eine fast zärtliche Frauenstimme. Gierig starrte ich auf ihren Mund, denn es war mir in diesem Höllenjahr unwahrscheinlich geworden, dass ein Mensch gütig zu einem andern sprechen könnte. Sie lächelte mir zu – ja, sie lächelte, es gab noch Menschen, die gütig lächeln konnten –, dann legte sie den Finger mahnend auf die Lippen und ging leise weiter. Aber ich konnte ihrem Gebot nicht gehorchen. Ich hatte mich noch nicht sattgesehen an dem Wunder. Gewaltsam versuchte ich mich in dem Bette aufzurichten, um ihr nachzublicken, diesem Wunder eines menschlichen Wesens nachzublicken, das gütig war. Aber wie ich mich am Bettrande aufstützen wollte, gelang es mir nicht. Wo sonst meine rechte Hand gewesen, Finger und Gelenk, spürte ich etwas Fremdes, einen dicken, großen, weißen Bausch, offenbar einen umfangreichen Verband. Ich staunte dieses Weiße, Dicke, Fremde an meiner Hand zuerst verständnislos an, dann begann ich langsam zu begreifen, wo ich war, und zu überlegen, was mit mir geschehen sein mochte. Man musste mich verwundet haben oder ich hatte mich selbst an der Hand verletzt. Ich befand mich in einem Hospital.

Mittags kam der Arzt, ein freundlicher älterer Herr. Er kannte den Namen meiner Familie und erwähnte derart re-

---

3 **ekstatischer:** rauschhafter

spektvoll meinen Onkel, den kaiserlichen Leibarzt, dass
mich sofort das Gefühl überkam, er meine es gut mit mir.
Im weiteren Verlauf richtete er allerhand Fragen an mich,
vor allem eine, die mich erstaunte – ob ich Mathematiker
sei oder Chemiker. Ich verneinte.

›Sonderbar‹, murmelte er. ›Im Fieber haben Sie immer so
sonderbare Formeln geschrien, c3, c4. Wir haben uns alle
nicht ausgekannt.‹

Ich erkundigte mich, was mit mir vorgegangen sei. Er lächelte merkwürdig.

›Nichts Ernstliches. Eine akute Irritation der Nerven‹,
und fügte, nachdem er sich zuvor vorsichtig umgeblickt
hatte, leise bei: ›Schließlich eine recht verständliche. Seit
dem 13. März, nicht wahr?‹

Ich nickte.

›Kein Wunder bei dieser Methode‹, murmelte er. Sie
sind nicht der Erste. Aber sorgen Sie sich nicht. An der Art,
wie er mir dies beruhigend zuflüsterte und dank seines be-
gütigenden Blicks wusste ich, dass ich bei ihm gut gebor-
gen war.

Zwei Tage später erklärte mir der gütige Doktor ziemlich
freimütig, was vorgefallen war. Der Wärter hatte mich in
meiner Zelle laut schreien hören und zunächst geglaubt,
dass jemand eingedrungen sei, mit dem ich streite. Kaum
er sich aber an der Tür gezeigt, hätte ich mich auf ihn gestürzt und ihn mit wilden Ausrufen angeschrien, die ähnlich klangen wie: ›Zieh schon einmal, du Schuft, du Feig-
ling!‹, ihn bei der Gurgel zu fassen gesucht und schließlich
so wild angefallen, dass er um Hilfe rufen musste. Als man
mich in meinem tollwütigen Zustand dann zur ärztlichen
Untersuchung schleppte, hätte ich mich plötzlich losgeris-

sen, auf das Fenster im Gang gestürzt, die Scheibe zerschla-
gen und mir dabei die Hand zerschnitten – Sie sehen noch
die tiefe Narbe hier. Die ersten Nächte im Hospital hätte ich
in einer Art Gehirnfieber verbracht, aber jetzt finde er mein
Sensorium völlig klar. ›Freilich‹, fügte er leise bei, ›werde
ich das lieber nicht den Herrschaften melden, sonst holt
man Sie am Ende noch einmal dorthin zurück. Verlassen
Sie sich auf mich, ich werde mein Bestes tun.‹

Was dieser hilfreiche Arzt meinen Peinigern über mich
berichtet hat, entzieht sich meiner Kenntnis. Jedenfalls er-
reichte er, was er erreichen wollte: meine Entlassung. Mag
sein, dass er mich als unzurechnungsfähig erklärt hat, oder
vielleicht war ich inzwischen schon der Gestapo unwichtig
geworden, denn Hitler hatte seitdem Böhmen besetzt und
damit war der Fall Österreich für ihn erledigt. So brauchte
ich nur die Verpflichtung zu unterzeichnen, unsere Heimat
innerhalb von vierzehn Tagen zu verlassen, und diese vierzehn Tage waren dermaßen erfüllt mit all den tausend For-
malitäten, die heutzutage der einstmalige Weltbürger zu
einer Ausreise benötigt, Militärpapiere, Polizei, Steuer,
Pass, Visum, Gesundheitszeugnis, dass ich keine Zeit hatte, über das Vergangene viel nachzusinnen. Anscheinend
wirken in unserem Gehirn geheimnisvoll regulierende
Kräfte, die, was der Seele lästig und gefährlich werden
kann, selbsttätig ausschalten, denn immer wenn ich zurückdenken wollte an meine Zellenzeit, löschte gewissermaßen in meinem Gehirn das Licht aus; erst nach Wochen
und Wochen, eigentlich erst hier auf dem Schiff, fand ich
wieder den Mut zu besinnen, was mir geschehen war.

Und nun werden Sie begreifen, warum ich mich so ungehörig und wahrscheinlich unverständlich Ihren Freun-

---

5 **Sensorium:** Wahrnehmung | 18 f. **Formalitäten:** amtlichen Vorschriften

den gegenüber benommen. Ich schlenderte doch nur ganz
zufällig durch den Rauchsalon, als ich Ihre Freunde vor
dem Schachbrett sitzen sah; unwillkürlich fühlte ich den
Fuß angewurzelt vor Staunen und Schrecken. Denn ich
hatte total vergessen, dass man Schach spielen kann an einem wirklichen Schachbrett und mit wirklichen Figuren,
vergessen, dass bei diesem Spiel zwei völlig verschiedene
Menschen einander leibhaft gegenübersitzen. Ich brauchte
wahrhaftig ein paar Minuten, um mich zu erinnern, dass
was diese Spieler dort taten, im Grunde dasselbe Spiel war,
was ich in meiner Hilflosigkeit monatelang gegen mich
selbst versucht. Die Chiffren, mit denen ich mich beholfen
während meiner grimmigen Exerzitien, waren doch nur
Ersatz gewesen und Symbol für diese beinernen Figuren;
meine Überraschung, dass dieses Figurenrücken auf dem
Brett dasselbe sei wie mein imaginäres Phantasieren im
Denkraum, mochte vielleicht der eines Astronomen ähnlich sein, der sich mit den kompliziertesten Methoden auf
dem Papier einen neuen Planeten errechnet hat und ihn
dann wirklich am Himmel erblickt als einen weißen, klaren, substantiellen Stern. Wie magnetisch festgehalten
starrte ich auf das Brett und sah dort meine Schemata,
Pferd, Turm, König, Königin und Bauern als reale Figuren,
aus Holz geschnitzt; um die Stellung der Partie zu überbli-
cken, musste ich sie unwillkürlich erst zurückmutieren aus
meiner abstrakten Ziffernwelt in die der bewegten Steine.
Allmählich überkam mich die Neugier, ein solches reales
Spiel zwischen zwei Partnern zu beobachten. Und da pas-
sierte das Peinliche, dass ich, alle Höflichkeit vergessend,
mich einmengte in Ihre Partie. Aber dieser falsche Zug Ihres Freundes traf mich wie ein Stich ins Herz. Es war eine

---

12 **Chiffren:** hier: Buchstaben und Zahlen | 13 **grimmigen Exerzitien:**
heftigen Übungen | 14 **beinernen:** aus Elfenbein oder Knochen | 21 **sub-
stantiellen:** hier: aus Materie bestehenden | 25 **zurückmutieren:** zurück-
verwandeln

reine Instinkthandlung, dass ich ihn zurückhielt, ein ganz impulsiver Zugriff, wie man, ohne zu überlegen ein Kind fasst, das sich über ein Geländer beugt. Erst später wurde mir die grobe Ungehörigkeit klar, deren ich mich durch meine Vordringlichkeit schuldig gemacht.«

Ich beeilte mich, Dr. B. zu versichern, wie sehr wir alle uns freuten, diesem Zufall seine Bekanntschaft zu verdanken und dass es für mich nach all dem, was er mir anvertraut, nun doppelt interessant sein werde, ihm morgen bei dem improvisierten Turnier zusehen zu dürfen. Dr. B. machte eine unruhige Bewegung.

»Nein, erwarten Sie wirklich nicht zu viel. Es soll nichts als eine Probe für mich sein … eine Probe, ob ich … ob ich überhaupt fähig bin, eine normale Schachpartie zu spielen, eine Partie auf einem wirklichen Schachbrett mit faktischen Figuren und einem lebendigen Partner … denn ich zweifle jetzt immer mehr daran, ob jene hunderte und vielleicht tausende Partien, die ich gespielt habe, tatsächlich regelrechte Schachpartien waren und nicht bloß eine Art Traumschach, ein Fieberschach, ein Fieberspiel, in dem wie immer im Traum Zwischenstufen übersprungen wurden. Sie werden mir doch hoffentlich nicht im Ernst zumuten, dass ich mir anmaße, einem Schachmeister und gar dem ersten der Welt Paroli bieten zu können. Was mich interessiert und intrigiert, ist einzig die posthume Neugier, festzustellen, ob das in der Zelle damals noch Schachspiel oder schon Wahnsinn gewesen, ob ich damals noch knapp vor oder schon jenseits der gefährlichen Kippe mich befand – nur dies, nur dies allein.«

Vom Schiffsende dröhnte in diesem Augenblick der Gong, der zum Abendessen rief. Wir mussten – Dr. B. hatte

---

5 **Vordringlichkeit:** Aufdringlichkeit | 24 **Paroli bieten:** wirksam Widerstand leisten | 25 **intrigiert:** stark interessiert | 25 **posthume:** nachträgliche (eigtl.: nach dem Tod)

mir alles viel ausführlicher berichtet, als ich es hier zusammenfasse – fast zwei Stunden verplaudert haben. Ich dankte ihm herzlich und verabschiedete mich. Aber noch war ich nicht das Deck entlang, so kam er mir schon nach und fügte sichtlich nervös und sogar etwas stottrig bei:

»Noch eines! Wollen Sie den Herren gleich im Voraus ausrichten, damit ich nachträglich nicht unhöflich erscheine: ich spiele nur eine einzige Partie ... Sie soll nichts als der Schlussstrich unter eine alte Rechnung sein – eine endgültige Erledigung und nicht ein neuer Anfang ... Ich möchte nicht ein zweites Mal in dieses leidenschaftliche Spielfieber geraten, an das ich nur mit Grauen zurückdenken kann ... und übrigens ... übrigens hat mich damals auch der Arzt gewarnt ... ausdrücklich gewarnt. Jeder, der einer Manie verfallen war, bleibt für immer gefährdet und mit einer – wenn auch ausgeheilten – Schachvergiftung soll man besser keinem Schachbrett nahekommen ... Also Sie verstehen – nur diese eine Probepartie für mich selbst und nicht mehr.«

Pünktlich um die vereinbarte Stunde, drei Uhr, waren wir am nächsten Tage im Rauchsalon versammelt. Unsere Runde hatte sich noch um zwei Liebhaber der königlichen Kunst vermehrt, zwei Schiffsoffiziere, die sich eigens Urlaub vom Borddienst erbeten, um dem Turnier zusehen zu können. Auch Czentovic ließ nicht wie am vorhergehenden Tage auf sich warten, und nach der obligaten Wahl der Farben begann die denkwürdige Partie dieses homo obscurissimus gegen den berühmten Weltmeister. Es tut mir leid, dass sie nur für uns durchaus unkompetente Zuschauer gespielt war und ihr Ablauf für die Annalen der Schachkunde ebenso verloren ist wie Beethovens Klavier-

---

22 **Liebhaber:** Amateure; vgl. Anm. zu 19,20 f. | 23 **eigens:** speziell für diesen Zweck | 26 **obligaten:** üblichen, den Zwängen bzw. Vorgaben entsprechenden | 27 f. **homo obscurissimus:** (lat.) äußerst geheimnisvollen Menschen | 30 **Annalen:** Jahrbücher

improvisationen für die Musik. Zwar haben wir an den nächsten Nachmittagen versucht, die Partie gemeinsam aus dem Gedächtnis zu rekonstruieren, aber vergeblich; wahrscheinlich hatten wir alle während des Spiels zu passioniert, zu interessiert auf die beiden Spieler statt auf den Gang des Spiels geachtet. Denn der geistige Gegensatz im Habitus der beiden Partner wurde im Verlauf der Partie immer mehr körperlich plastisch. Czentovic, der Routinier, blieb während der ganzen Zeit unbeweglich wie ein Block, die Augen streng und starr auf das Schachbrett gesenkt; Nachdenken schien bei ihm eine geradezu physische Anstrengung, die alle seine Organe zu äußerster Konzentration nötigte. Dr. B. dagegen bewegte sich vollkommen locker und unbefangen. Als der rechte Dilettant im schönsten Sinne des Worts, dem im Spiel nur das Spiel, das »diletto« Freude macht, ließ er seinen Körper völlig entspannt, plauderte während der ersten Pausen erklärend mit uns, zündete sich mit leichter Hand eine Zigarette an und blickte immer nur gerade wenn an ihn die Reihe kam, eine Minute auf das Brett. Jedes Mal hatte es den Anschein, als hätte er den Zug des Gegners schon im Voraus erwartet.

Die obligaten Eröffnungszüge ergaben sich ziemlich rasch. Erst beim siebten oder achten schien sich etwas wie ein bestimmter Plan zu entwickeln. Czentovic verlängerte seine Überlegungspausen; daran spürten wir, dass der eigentliche Kampf um die Vorhand einzusetzen begann. Aber um der Wahrheit die Ehre zu geben, bedeutete die allmähliche Entwicklung der Situation wie jede richtige Turnierpartie für uns Laien eine ziemliche Enttäuschung. Denn je mehr sich die Figuren zu einem sonderbaren Or-

---

4 f. **passioniert:** leidenschaftlich | 7 **Habitus:** (hier: innere) Grundhaltung, Verhalten | 8 **plastisch:** erkennbar | 8 f. **Routinier:** erfahrene Praktiker | 14 **rechte Dilettant:** echte Amateur | 27 **Vorhand:** Vorteil | 28 **der Wahrheit die Ehre zu geben:** die Wahrheit zu sagen | 31 f. **Ornament:** Muster

nament ineinander verflochten, umso undurchdringlicher
wurde für uns der eigentliche Stand. Wir konnten weder
wahrnehmen, was der eine Gegner noch was der andere
beabsichtigte und wer von beiden sich eigentlich im Vorteil befand. Wir merkten bloß, dass sich einzelne Figuren
wie Hebel vorschoben, um die feindliche Front aufzu-
sprengen, aber wir vermochten nicht – da bei diesen über-
legenen Spielern jede Bewegung immer auf mehrere Züge
vorauskombiniert war – die strategische Absicht in diesem
Hin und Wieder zu erfassen. Dazu gesellte sich allmählich
eine lähmende Ermüdung, die hauptsächlich durch die
endlosen Überlegungspausen Czentovics verschuldet war
und die auch unseren Freund sichtlich zu irritieren begannen. Ich beobachtete beunruhigt, wie er, je länger die Partie
sich hinzog, immer unruhiger auf seinem Sessel herumzu-
rücken begann, bald aus Nervosität eine Zigarette nach der
anderen anzündend, bald nach dem Bleistift greifend, um
etwas zu notieren. Dann wieder bestellte er ein Mineral-
wasser, das er Glas um Glas hastig hinabstürzte; es war offenbar, dass er hundertmal schneller kombinierte als Czentovic. Jedes Mal wenn dieser nach endlosem Überlegen sich
entschloss, mit seiner schweren Hand eine Figur vorwärts-
zurücken, lächelte unser Freund nur wie jemand, der etwas
lang Erwartetes eintreffen sieht und ripostierte bereits. Er
musste mit seinem rapid arbeitenden Verstand im Kopf
alle Möglichkeiten des Gegners vorausberechnet haben; je
länger darum Czentovics Entschließung sich verzögerte,
umso mehr wuchs seine Ungeduld, und um seine Lippen
presste sich während des Wartens ein ärgerlicher und fast
feindseliger Zug. Aber Czentovic ließ sich keineswegs
drängen. Er überlegte stur und stumm und pausierte im-

---

24 **ripostierte:** erwiderte | 25 **rapid:** schnell | 27 **Entschließung:** Ent-
scheidung

mer länger, je mehr sich das Feld von Figuren entblößte.
↗ Beim zweiundvierzigsten Zuge, nach geschlagenen zweidreiviertel Stunden, saßen wir schon alle ermüdet und beinahe teilnahmslos um den Turniertisch. Einer der Schiffsoffiziere hatte sich bereits entfernt, ein anderer ein Buch
zur Lektüre genommen und blickte nur bei jeder Verände-
rung für einen Augenblick auf. Aber da geschah plötzlich
bei einem Zuge Czentovics das Unerwartete. Sobald Dr. B.
merkte, dass Czentovic den Springer fasste, um ihn vorzuziehen, duckte er sich zusammen wie eine Katze vor dem
Ansprung. Sein ganzer Körper begann zu zittern, und
kaum Czentovic den Springerzug getan, schob er scharf die
Dame vor, sagte laut triumphierend: »So! Erledigt!«, lehnte
sich zurück, kreuzte die Arme über der Brust und sah mit
herausforderndem Blick auf Czentovic. Ein heißes Licht
glomm plötzlich in seiner Pupille.

Unwillkürlich beugten wir uns über das Brett, um den
so triumphierend angekündigten Zug zu verstehen. Auf
den ersten Blick war keine direkte Bedrohung sichtbar. Die
Äußerung unseres Freundes musste sich also auf eine Entwicklung beziehen, die wir kurzdenkenden Dilettanten
noch nicht errechnen konnten. Czentovic war der Einzige
unter uns, der sich bei jener herausfordernden Ankündi-
gung nicht gerührt hatte; er saß so unerschütterlich, als ob
er das beleidigende »Erledigt!« völlig überhört hätte. Nichts
geschah. Man hörte, da wir alle unwillkürlich den Atem
anhielten, mit einem Mal das Ticken der Uhr, die man zur
Feststellung der Zugzeit auf den Tisch gelegt hatte. Es
wurden drei Minuten, sieben Minuten, acht Minuten, –
Czentovic rührte sich nicht, aber mir war, als ob sich von
einer inneren Anstrengung seine dicken Nüstern noch

---

1 **entblößte:** leerte | 31 **Nüstern:** Nasenlöcher (eigentl. eines Pferdes)

breiter dehnten. Unserem Freunde schien dieses stumme
Warten ebenso unerträglich wie uns selbst. Mit einem
Ruck stand er plötzlich auf und begann im Rauchzimmer
auf und ab zu gehen, erst langsam, dann schneller und immer schneller. Alle blickten wir ihm etwas verwundert zu,
aber keiner beunruhigter als ich, denn mir fiel auf, dass seine Schritte trotz aller Heftigkeit dieses Auf und Ab immer
nur die gleiche Spanne Raum ausmaßen; es war, als ob er
jedes Mal mitten im leeren Zimmer an eine unsichtbare
Schranke stieße, die ihn nötigte umzukehren. Und schau-
dernd erkannte ich, es reproduzierte unbewusst dieses
Auf und Ab das Ausmaß seiner einstmaligen Zelle; genau
so musste er in den Monaten des Eingesperrtseins auf und
ab gerannt sein wie ein eingesperrtes Tier im Käfig, genau
so die Hände verkrampft und die Schultern eingeduckt; so
und nur so musste er dort tausendmal auf und nieder ge-
laufen sein, die roten Lichter des Wahnsinns im starren
und doch fiebernden Blick. Aber noch schien sein Denk-
vermögen völlig intakt, denn von Zeit zu Zeit wandte er
sich ungeduldig dem Tisch zu, ob Czentovic sich inzwischen schon entschieden hätte. Aber es wurden neun, es
wurden zehn Minuten. Dann endlich geschah, was niemand von uns erwartet hatte. Czentovic hob langsam seine schwere Hand, die bisher unbeweglich auf dem Tisch
gelegen. Gespannt blickten wir alle auf seine Entscheidung.
Aber Czentovic tat keinen Zug, sondern sein gewendeter
Handrücken schob mit einem entschiedenen Ruck alle Figuren langsam vom Brett. Erst im nächsten Augenblick
verstanden wir: Czentovic hatte die Partie aufgegeben. Er
hatte kapituliert, um nicht vor uns sichtbar mattgesetzt zu ↗
werden. Das Unwahrscheinliche hatte sich ereignet, der

---

10 **nötigte:** zwang | 19 **intakt:** unversehrt | 30 **kapituliert:** aufgegeben

Weltmeister, der Champion zahlloser Turniere hatte die Fahne gestrichen vor einem Unbekannten, einem Manne, der zwanzig oder fünfundzwanzig Jahre kein Schachbrett angerührt. Unser Freund, der Anonymus, der Ignotus hatte den stärksten Schachspieler der Erde in offenem Kampfe besiegt!

Ohne es zu merken, waren wir in unserer Erregung einer nach dem anderen aufgestanden. Jeder von uns hatte das Gefühl, er müsste etwas sagen oder tun, um unserem freudigen Schrecken Luft zu machen. Der Einzige, der unbeweglich in seiner Ruhe verharrte, war Czentovic. Erst nach einer gemessenen Pause hob er den Kopf und blickte unseren Freund mit steinernem Blick an.

»Noch eine Partie?«, fragte er.

»Selbstverständlich«, antwortete Dr. B. mit einer mir unangenehmen Begeisterung und setzte sich, noch ehe ich ihn an seinen Vorsatz mahnen konnte, es bei einer Partie bewenden zu lassen, sofort wieder nieder und begann mit fiebriger Hast, die Figuren neu aufzustellen. Er rückte sie mit solcher Hitzigkeit zusammen, dass zweimal ein Bauer durch die zitternden Finger zu Boden glitt; mein schon früher peinliches Unbehagen angesichts seiner unnatürlichen Erregtheit wuchs zu einer Art Angst. Denn eine sichtbare Exaltiertheit war über den vorher so stillen und ruhigen Menschen gekommen; das Zucken fuhr immer öfter um seinen Mund, und sein Körper zitterte wie von einem jähen Fieber geschüttelt.

»Nicht!«, flüsterte ich ihm leise zu. »Nicht jetzt! Lassen Sie's für heute genug sein! Es ist für Sie zu anstrengend.«

»Anstrengend! Ha!«, lachte er laut und boshaft. »Siebzehn Partien hätte ich unterdessen spielen können statt

---

1 f. **die Fahne gestrichen:** aufgegeben | 4 **der Anonymus, der Ignotus:** der Namenlose, der Unbekannte | 24 **Exaltiertheit:** Überreizung

dieser Bummelei! Anstrengend ist für mich einzig, bei diesem Tempo nicht einzuschlafen! – Nun! Fangen Sie doch schon einmal an!«

Diese letzten Worte hatte er in heftigem, beinahe grobem Ton zu Czentovic gesagt. Dieser blickte ihn ruhig und gemessen an, aber sein steinern starrer Blick hatte etwas von einer geballten Faust. Mit einem Mal stand etwas Neues zwischen den beiden Spielern; eine gefährliche Spannung, ein leidenschaftlicher Hass. Es waren nicht zwei Partner mehr, die ihr Können spielhaft aneinander proben wollten, es waren zwei Feinde, die sich gegenseitig zu vernichten geschworen. Czentovic zögerte lange, ehe er den ersten Zug tat und mich überkam das deutliche Gefühl, er zögerte mit Absicht so lange. Offenbar hatte der geschulte Taktiker schon herausgefunden, dass er gerade durch seine Langsamkeit den Gegner ermüdete und irritierte. So setzte er nicht weniger als vier Minuten aus, ehe er die normalste, die simpelste aller Eröffnungen machte, indem er den Königsbauer die üblichen zwei Felder vorschob. Sofort fuhr unser Freund mit seinem Königsbauern ihm entgegen, aber wieder machte Czentovic eine endlose, kaum zu ertragende Pause; es war, wie wenn ein starker Blitz niederfährt und man pochenden Herzens auf den Donner wartet und der Donner kommt und kommt nicht. Czentovic rührte sich nicht. Er überlegte, still, langsam und, wie ich immer gewisser fühlte, boshaft langsam; damit aber gab er mir reichlich Zeit, Dr. B. zu beobachten. Er hatte eben das dritte Glas Wasser hinabgestürzt; unwillkürlich erinnerte ich mich, dass er mir von seinem fiebrigen Durst in der Zelle erzählt. Alle Symptome einer abnormalen Erregung zeichneten sich deutlich ab; ich sah seine Stirne feucht werden

---

10 **spielhaft:** nur im Spiel, nicht im Ernst | 30 **Symptome:** Anzeichen | **abnormalen:** krankhaften

und die Narbe auf seiner Hand röter und schärfer als zuvor. Aber noch beherrschte er sich. Erst als beim vierten Zug Czentovic wieder endlos überlegte, verließ ihn die Haltung und er fauchte ihn plötzlich an:

»So spielen Sie doch schon endlich einmal!«

Czentovic blickte kühl auf. »Wir haben meines Wissens zehn Minuten Zugzeit vereinbart. Ich spiele prinzipiell nicht mit kürzerer Zeit.«

Dr. B. biss sich die Lippe; ich merkte, wie unter dem Tisch seine Sohle unruhig und immer unruhiger gegen den Boden wippte, und wurde selbst unaufhaltsam nervöser durch das drückende Vorgefühl, dass sich irgendetwas Unsinniges in ihm vorbereitete. In der Tat ereignete sich bei dem achten Zug ein zweiter Zwischenfall. Dr. B., der immer unbeherrschter gewartet hatte, konnte seine Spannung nicht mehr verhalten; er rückte hin und her und begann unbewusst mit den Fingern auf dem Tisch zu trommeln. Abermals hob Czentovic seinen schweren bäurischen Kopf.

»Darf ich Sie bitten, nicht zu trommeln? Es stört mich. Ich kann so nicht spielen.«

»Ha!«, lachte Dr. B. kurz. »Das sieht man.«

Czentovics Stirn wurde rot. »Was wollen Sie damit sagen?«, fragte er scharf und böse.

Dr. B. lachte abermals knapp und boshaft. »Nichts. Nur dass Sie offenbar sehr nervös sind.«

Czentovic schwieg und beugte seinen Kopf nieder. Erst nach sieben Minuten tat er den nächsten Zug, und in diesem tödlichen Tempo schleppte sich die Partie fort. Czentovic versteinte gleichsam immer mehr; schließlich schaltete er immer das Maximum der vereinbarten Überlegungspause ein, ehe er sich zu einem Zug entschloss, und von einem Intervall zum andern wurde das Benehmen unseres Freundes sonderbarer. Es hatte den Anschein, als ob er an der Partie gar keinen Anteil mehr nehme sondern mit etwas ganz anderem beschäftigt sei. Er ließ sein hitziges Auf- und Niederlaufen und blieb an seinem Platz reglos sitzen. Mit einem stieren und fast irren Blick ins Leere vor sich starrend, murmelte er ununterbrochen unverständliche Worte vor sich hin; entweder verlor er sich in endlosen Kombinationen oder er arbeitete – dies war mein innerster Verdacht – sich ganz andere Partien aus, denn jedes Mal, wenn Czentovic endlich gezogen hatte, musste man ihn aus seiner Geistesabwesenheit zurückmahnen. Dann brauchte er immer einige Minuten, um sich in der Situation wieder zurechtzufinden; immer mehr beschlich mich der Verdacht, er habe eigentlich Czentovic und uns alle längst vergessen in dieser kalten Form des Wahnsinns, der sich plötzlich in irgendeiner Heftigkeit entladen konnte. Und tatsächlich, bei dem neunzehnten Zug brach die Krise aus. Kaum dass Czentovic seine Figur bewegt, stieß Dr. B. plötzlich, ohne recht auf das Brett zu blicken, seinen Läufer drei Felder vor und schrie derart laut, dass wir alle zusammenfuhren:

»Schach! Schach dem König!«

Wir blickten in der Erwartung eines besonderen Zuges sofort auf das Brett. Aber nach einer Minute geschah, was keiner von uns erwartet. Czentovic hob ganz, ganz langsam den Kopf und blickte – was er bisher nie getan – in unserem Kreise von einem zum andern. Er schien irgendetwas unermesslich zu genießen, denn allmählich begann auf seinen Lippen ein zufriedenes und deutlich höhnisches

---

2 **Intervall:** Zeitspanne

Lächeln. Erst nachdem er diesen seinen uns noch unverständlichen Triumph bis zur Neige genossen, wandte er sich mit falscher Höflichkeit unserer Runde zu.

»Bedaure – aber ich sehe kein Schach. Sieht vielleicht einer von den Herren ein Schach gegen meinen König?«

Wir blickten auf das Brett und dann beunruhigt zu Dr. B. hinüber. Czentovics Königsfeld war tatsächlich – ein Kind konnte das erkennen – durch einen Bauern gegen den Läufer völlig gedeckt, also kein Schach dem König möglich. Wir wurden unruhig. Sollte unser Freund in seiner Hitzigkeit eine Figur danebengestoßen haben, ein Feld zu weit oder zu nah? Durch unser Schweigen aufmerksam gemacht, starrte jetzt auch Dr. B. auf das Brett und begann heftig zu stammeln:

»Aber der König gehört doch auf f7 ... er steht falsch, ganz falsch ... Sie haben falsch gezogen! Alles steht ganz falsch auf diesem Brett ... der Bauer gehört doch auf g5 und nicht auf g4 ... Das ist ja eine ganz andere Partie ... Das ist ...«

Er stockte plötzlich. Ich hatte ihn heftig am Arm gepackt oder vielmehr ihn so hart in den Arm gekniffen, dass er selbst in seiner fiebrigen Verwirrtheit meinen Griff spüren musste. Er wandte sich um und starrte mich wie ein Traumwandler an.

»Was ... was wollen Sie?«

Ich sagte nichts als: »Remember!« und fuhr ihm gleichzeitig mit dem Finger über die Narbe an seiner Hand. Er folgte unwillkürlich meiner Bewegung, sein Auge starrte glasig auf den blutroten Strich. Dann begann er plötzlich zu zittern und ein Schauer lief über seinen ganzen Körper.

»Um Gottes willen«, flüsterte er mit blassen Lippen.

---

2 **bis zur Neige:** bis zum Letzten (eigentl. bis zur vollen Neige eines Glases, um noch den letzten Tropfen zu trinken)

»Habe ich etwas Unsinniges gesagt oder getan ... bin ich am Ende wieder ...?«

»Nein«, flüsterte ich leise. »Aber Sie müssen sofort die Partie abbrechen, es ist höchste Zeit. Erinnern Sie sich, was der Arzt Ihnen gesagt!«

Dr. B. stand mit einem Ruck auf. »Ich bitte um Entschuldigung für meinen dummen Irrtum«, sagte er mit seiner alten höflichen Stimme und verbeugte sich vor Czentovic. »Es ist natürlich purer Unsinn, was ich gesagt habe. Selbstverständlich bleibt es Ihre Partie.« Dann wandte er sich zu uns. »Auch die Herren muss ich um Entschuldigung bitten. Aber ich hatte Sie gleich im Voraus gewarnt, Sie sollten von mir nicht zu viel erwarten. Verzeihen Sie die Blamage – es war das letzte Mal, dass ich mich im Schach versucht habe.«

Er verbeugte sich und ging, in der gleichen bescheidenen und geheimnisvollen Weise, mit der er zuerst erschienen. Nur ich wusste, warum dieser Mann nie mehr ein Schachbrett berühren würde, indes die andern ein wenig verwirrt zurückblieben mit dem ungewissen Gefühl, mit knapper Not etwas Unbehaglichem und Gefährlichem entgangen zu sein. »Damned fool«, knurrte McConnor in seiner Enttäuschung. Als Letzter erhob sich Czentovic von seinem Sessel und warf noch einen Blick auf die halbbeendete Partie.

»Schade«, sagte er großmütig. »Der Angriff war gar nicht so übel disponiert. Für einen Dilettanten ist dieser Herr eigentlich ungewöhnlich begabt.«

---

13 **Blamage:** Peinlichkeit | 21 **Damned fool:** Verfluchter Trottel | 26 **übel disponiert:** schlecht geplant | **Dilettanten:** vgl. Fußn. zu 19,20f.

Anhang

Der Werktext der vorliegenden Ausgabe ist seiten- und zeilengleich mit der von Klemens Renoldner herausgegebenen Ausgabe der Universal-Bibliothek Nr. 18933.

Mehr als 70 Jahre nach der Entstehung der *Schachnovelle* war es geboten, den deutschsprachigen Lesern erstmals den unverfälschten Text dieser Erzählung zur Verfügung zu stellen, und zwar exakt in der Fassung, in der Stefan Zweig den Text seinen Verlegern übergeben hatte.

So gibt diese Ausgabe der *Schachnovelle* nach Studium von den drei zugänglichen Typoskripten und den darin verzeichneten handschriftlichen Korrekturen den Text der Erzählung im Sinne einer *Ausgabe letzter Hand* wieder. Die Orthographie wurde auf der Grundlage der neuen amtlichen Rechtschreibregeln behutsam modernisiert, Zweigs Interpunktion dagegen beibehalten.

Der detaillierte Editionsbericht ist in der *Schachnovelle. Kommentierte Ausgabe* im Reclam Verlag (UB 18975) zu finden.

Zu den Wort- und Sacherläuterungen

Die Wort- und Sacherläuterungen basieren in Teilen auf den Erläuterungen in: Stefan Zweig, *Schachnovelle. Kommentierte Ausgabe*, hrsg. von Klemens Renoldner, Stuttgart: Reclam, 2013 [u.ö.].

5,28f. **bewährtesten Altmeister ... Bogoljubow:** damals bekannte internationale Schachgroß- bzw. Weltmeister.

8,10 **Bileams Esel!:** Anspielung auf den Propheten Bileam (auch bekannt als Balaam), dessen Esel laut Altem Testament (4 Mose 22,30) auf Gottes Geheiß zu sprechen beginnt. Mirko werden durch den Tiervergleich erneut typische Eigenschaften eines Esels zugeschrieben.

9,10 **sizilianische Eröffnung:** Mirko kennt die Tricks gängiger Spielereröffnungen noch nicht (obwohl die sizilianische Eröffnung keinen Vorteil erbringt). Umso mehr beeindruckt daher, wie schnell sich das junge Naturtalent gegen die erfahrenen Schachspieler durchsetzt.

10,31f. **auswendig ... blind:** ›blind‹ bedeutet hier, eine neue Partie ohne Figuren oder Brett zu spielen, bedeutet also nicht im eigentlichen Sinne ›auswendig‹.

11,23–26 **wie Napoleon ... gezeigt habe:** Die geschichtlichen Beispiele zeigen, wie scheinbar unbesiegbare Feldherrn (Napoleon und Hannibal) entgegen aller Wahrscheinlichkeit gegen militärisch und geistig unterlegene, aber hartnäckige und taktisch geschickte Gegner verloren haben. Ebenso gelingt es Mirko, ihm überlegene Gegner durch unbewusstes, taktisches Zögern und Hartnäckigkeit zu besiegen.

13,9 **Banat:** bäuerlich geprägte Region, die heute zwischen den Staaten Rumänien, Serbien und Ungarn liegt.

13,29 **termitenhaft:** Termiten: winzige Insekten, die meterhohe Bauten errichten, in denen mehrere Millionen Tiere organisiert zusammenleben. Ihre soziale Organisation ist mit menschlichen Staaten vergleichbar. Auch Mirko konstruiert sich im Geiste eine Parallelwelt, die der Wirklichkeit, in der er lebt, zwar ähnelt, sie aber termitenhaft verkürzt. Zweig wählt hier wieder (wie in Anm. zu 8,10) einen Tiervergleich in Zusammenhang mit Mirko.

15,11 **königlichen Spiels:** Das Wort ›Schach‹ geht auf die persische Bezeichnung für ›König‹ (*šāh*, ›Schah‹), der spielentscheidenden Figur, zurück und verweist somit auf die geschichtliche Herkunft aus dem indisch-persischen Kulturraum. Schach wurde dort als Kriegsstrategiespiel entwickelt und über arabische Vermittlung bis zum Spätmittelalter (13.–15. Jahrhundert) auch in der europäischen Oberschicht gebräuchlich. Die heute gültigen Regeln ent-   standen erst ab der frühen Neuzeit, als das Schachspiel auch in bürgerlichen Schichten beliebt wurde.

15,19 f. **Sarg Mohammeds … Erde:** Anspielung auf eine mittelal- terliche Sage, dass der Sarg des Propheten Mohammed zwischen Magnetsteinen schwebe. Der Vergleich ist zwar ungewöhnlich, passt aber zu der Herkunft des Schachspiels aus dem islamischen Kulturraum.

16,11–17 **In früheren Zeiten … Schädeln:** Die sog. Physiognomik um 1800 ging davon aus, dass man aufgrund von Gesichtszügen oder anatomischen Merkmalen auf Charaktereigenschaften, Nei- gungen und Begabungen eines Menschen schließen könne. Der Hirnforscher Franz Joseph Gall (1758–1828) etwa meinte, aus Un- tersuchung von Schädeleigenschaften den Charakter eines Men- schen ableiten zu können.

18,2 f. **die mir … Sprache:** Anspielung auf das Publikationsverbot, das Stefan Zweig als jüdischer Schriftsteller infolge der Bücher- verbrennung in Deutschland im Jahre 1933 erlitt. Das hier ange- sprochene Verbot ›der deutschen Sprache‹ wurde 1938 infolge des ›Anschlusses‹ Österreichs an das Deutsche Reich auf Zweigs Hei- matland ausgeweitet (dieser Satz war nach dem Zweiten Welt- krieg lange Zeit aus den Ausgaben getilgt worden).

19,26 **Gewogen … befunden:** Geprüft und für unzulänglich befun- den. Gelehrte Anspielung auf eine berühmte Episode im Alten Testament (Daniel 5,25–28), in dem dem babylonischen König Bel- sazar nach einem rauschenden Trinkgelage die Inschrift »Mene tekel u-parsin« (gezählt, gewogen, geteilt) an der Wand erscheint. Die Worte werden als göttliche Prophezeiung interpretiert: »Die Tage deiner Herrschaft sind gezählt, Gott hat dich gewogen und für zu leicht befunden, dein Reich wird geteilt.« Im heutigen Sprachgebrauch wird der Begriff ›Menetekel‹ im Sinne einer dunklen Vorahnung verwendet. Hier schwingt die Bedeutung drohenden Unheils in der Textstelle mit.

23,15 **zehn Minuten:** absurd lang, üblich sind zwei bis drei Minu- ten.

26,25 **Aljechin gegen Bogoljubow:** Zweig legt hier eine Partie zu- grunde, die er in dem Schachbuch *Die hypermoderne Schachpar- tie* von Taratakower gefunden hatte. Das hier wiedergegebene Dia- gramm zeigt die Stellung nach 38. d6:

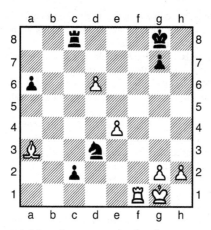

Mit folgender Variante würden die Gegner von Czentovic verlieren: 38. ... c1D 39. L × c1 S × c1 40. d7 Se2+ 41. Kf2. Weiß steht damit auf Gewinn:

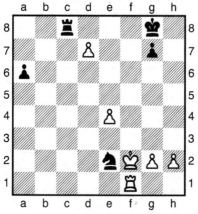

Die Variante, mit der Dr. B. das Remis herausholt, lautet so: 38. ... Kh7 39. h4 Tc4 40. e5 S × e5 41. Lb2 Tc8 42. Tc1 Sd7 43. Kf2 Kg6 44. Ke3 Tc6 45. Ld4 Sf6 46. Kd3 T × d6 47. T × c2. Damit ist die folgende Stellung erreicht:

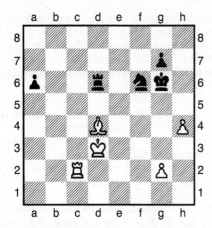

26,25 **Pistyaner:** Pistyan: deutscher Name für Pieštany; Kleinstadt in der Slowakei, auch berühmter Kurort und Austragungsort von Schachwettkämpfen.

33,4f. **Schuberts … des alten Kaisers:** Gemeint sind der österreichische Komponist Franz Schubert (1797–1828) und Kaiser Franz Joseph I. (1830–1916).

34,31 **klerikalen Partei:** Gemeint ist die der katholischen Kirche nahestehende »Christlich-Soziale Partei Österreichs«, nach 1945 umbenannt in »Österreichische Volkspartei«.

35,12f. **in den Inflationsjahren … jenen des Umsturzes:** Infolge des Ersten Weltkriegs (1915–18) erlebte Österreich eine extreme Geldentwertung (Hyperinflation), die erst 1922 gestoppt werden konnte. Katastrophale Verluste in Einkommen, aber auch Vermögen waren die Konsequenz. Das Ende des Weltkriegs bedeutete zugleich den »Umsturz« der »Österreichisch-Ungarischen«. Es entstand die Erste Republik Österreich, die bis 1938 währen sollte.

36,6f. **Dollfuß und Schuschnigg:** Engelbert Dollfuß (1892–1934) und Kurt Edler von Schuschnigg (1897–1977) waren, abgesehen von tageweisen Übergangsregierungen, die letzten beiden Bundeskanzler vor dem ›Anschluss‹ Österreichs an das Deutsche Reich im Jahre 1938.

37,13–15 **am selben Abend … festgenommen war:** Am 11. März 1938 verkündete der österreichische Bundeskanzler Schuschnigg unter massivem Druck Hitlers, dass seine Regierung zurücktrete, »da wir der Gewalt weichen«. Hitler selbst zog zwar erst am 15. März in Wien ein, doch begann am 12. März bereits die SS unter Heinrich Himmler mit der systematischen Verhaftung regimefeindlicher oder -kritischer Politiker, Funktionäre und Beamten. Auch politische Gegner, Sozialisten, Kommunisten, aber auch Christlichsoziale und Monarchisten, zu denen aufgrund seiner geschäftlichen Kontakte vielleicht auch Dr. B. der »Schachnovelle« zählt, waren von den Verhaftungen betroffen.

Die SS (»Schutzstaffel«) war eine militärische Eliteorganisation der Nationalsozialisten, die zu einem gefürchteten Apparat von Einschüchterung und Terror ausgebaut wurde. Spezielle Verbände der SS waren auch für die Einrichtung und Verwaltung der Konzentrationslager verantwortlich.

38,30 f. **unser Kanzler … Rothschild:** Bundeskanzler Schuschnigg (vgl. Anm. zu 36,6) und ein Bankier der berühmten jüdischen Familie Rothschild.

39,3 **Hotel Metropole:** 1873 errichtetes Wiener Luxushotel mit rund 400 Zimmern, welches die Nationalsozialisten 1938 zur »Gestapo-Leitstelle Wien«, der größten Verwaltungseinheit der Geheimen Staatspolizei im »Deutschen Reich«, umfunktionierten. Von dort aus wurden Judendeportationen organisiert und Verhöre und Folterungen durchgeführt. 1945 wurde das Hotel durch Bombenangriffe schwer zerstört, drei Jahre später abgerissen.

42,4 **Steenookerzeel:** belgische Kleinstadt, in der sich Zita, Gattin des letzten österreichischen Kaisers Karl I., von 1929 bis 1940 aufhielt. Die Gestapo vermutet also, dass Dr. B. direkte Kontakte zur oberen Adelsschicht aufrechterhält.

44,25 **Doppeldenken:** schon hier deutet sich das Motiv der Bewusstseinsspaltung an.

54,13 f. **logischerweise eine Absurdität:** tatsächlich ist das eine gängige Übungsform und letztlich eine Denkbewegung, die ein guter Schachspieler einnimmt, um Spielzüge seines Gegners vorwegzudenken (sich also quasi in zwei Personen aufteilt).

54,28 **Doppeldenken:** vgl. Anm. zu 44,25.

64,14 **Hitler … besetzt:** Im Oktober 1938 trat die Tschechoslowakei die sudentendeutschen Gebiete an das Deutsche Reich ab. Im März 1939 besetzten deutsche Truppen auch die sog. ›Rest-Tschechei‹. Es entstand das Reichsprotektorat Böhmen und Mähren.

70,2 f. **zweiundvierzigsten Zug ... zweidreiviertel Stunden:** Bei
10 Minuten Zugzeit (vgl. hier S. 74) müssten im Höchstfall
$42 \times 10 \times 2 = 840$ Minuten, also 14 Stunden vergangen sein.

71,30 f. **um nicht vor uns sichtbar mattgesetzt zu werden:** Tatsächlich ist das gängige Spielpraxis, da es Zeitverschwendung
wäre, eine offensichtlich verlorene Partie noch weiterzuspielen.

74,7 **zehn Minuten:** vgl. Anm. zu 70,2.

3. Leben und Zeit

Viele Interpreten der *Schachnovelle* stützen sich bei ihren Deutungen auf Parallelen, die Handlung und auftretende Personen zu Details aus der Biographie des Autors Stefan Zweig aufweisen (vgl. 4.2). Die Kenntnis wesentlicher Ereignisse und Umstände seines Lebens unterstützt daher das Werkverständnis.

1881	Stefan Zweig wird am 28. November in Wien in eine großbürgerliche jüdische Familie geboren, der Vater ist Textilfabrikant, die Mutter stammt aus einer italienisch-österreichischen Bankiersfamilie.
1892–99	Besuch des Wiener Maximilian-Gymnasiums. Seine Schulzeit charakterisiert Zweig in seiner poetischen Autobiographie *Die Welt von Gestern* (1942) nachträglich als Aufenthalt in einer Zwangsanstalt. Dennoch habe er bereits während der Jugendjahre eine unbändige Begeisterung für Kunst und Literatur entwickelt.
1900–04	Zweig studiert an der Wiener Universität Philosophie, Germanistik und Romanistik und erhält schließlich mit einer Dissertation über den französischen Kulturphilosophen Hippolyte Taine die Doktorwürde. Bereits während des Studiums veröffentlicht er eigene Gedichte und Novellen sowie Übersetzungen neuerer französischer Dichter.
1910–12	Zweig, inzwischen ein bekannter und zunehmend auch finanziell erfolgreicher Autor, unternimmt ausgedehnte Reisen nach Indien und nach Nord- und Mittelamerika.
1912	Die Beziehung zu der bereits verheirateten Frau Friderike Maria von Winternitz vertieft sich. Nach deren Scheidung heiraten beide schließlich im Jahre 1920.
1914–18	Während des Ersten Weltkriegs bleibt Zweig der direkte Kriegseinsatz wegen Untauglichkeit erspart. Stattdessen leistet er anfänglich Dienst im Wiener Kriegsarchiv, wo er Militärberichte journalistisch umzuschreiben hatte.
1919	Umzug mit Friderike in ein ehemaliges Jagdschlösschen in Salzburg. Dort pflegt der wohlhabende Schriftsteller einen aufwendigen und geselligen Lebensstil: Das nach eigenem Geschmack umgestaltete Schloss entwickelt sich zum Treffpunkt der intellektuellen Elite Europas. Zu Be-

such kommen u.a. die Dichter Hugo von Hofmannsthal, Thomas Mann und Arthur Schnitzler, die englischen Autoren H. G. Wells und James Joyce sowie die Komponisten Béla Bartók, Richard Strauss und Maurice Ravel. Stefan Zweigs literarische Produktion ist ergiebig: Vor allem seine Erzählungen, Romane und besonders seine historischen Biographien verkaufen sich auf der ganzen Welt. Einige seiner Bücher werden verfilmt.

1933–36 Nach der Machtergreifung der Nationalsozialisten werden Zweigs Werke in Deutschland verbrannt, sein Haus in Salzburg wird nach Waffen durchsucht. Obwohl Zweig politisch nie öffentlich Stellung bezieht, wird er als jüdischer Autor zunehmend gedemütigt und beschließt daher, nach London zu ziehen, wo er bis 1940 bleibt.

Sein beruflich und sozial bisher so erfolgreiches Leben wird in den Folgejahren immer turbulenter:

1936 Reise nach Südamerika, auch nach Brasilien, wo er vom dortigen Staatspräsidenten empfangen wird.

1937 Verkauf des Salzburger Schlösschens.

1938 Scheidung von Friderike.

1939 Heirat mit Lotte Altmann, seiner damaligen Sekretärin.

1940 Die Zweigs erhalten die britische Staatsangehörigkeit. Überfahrt in die USA, zunächst zu einer Vortragsreise. Sie bleiben dann aber aufgrund des Zweiten Weltkriegs in Amerika. Zweig leidet an starken Depressionen.

1941 August: Umsiedlung nach Petrópolis in der Nähe von Rio de Janeiro, Brasilien, mit unbegrenztem Aufenthaltsrecht. Die Depressionen verstärken sich.

1942 Ende Januar: vorläufiger Abschluss der *Schachnovelle*. Am 23. Februar begehen Stefan und Lotte Zweig gemeinsam Selbstmord durch Vergiftung.

Abb. 1: Stefan Zweig an Bord des Dampfschiffes S.S.Uruguay auf seiner letzten Reise von New York nach Rio de Janeiro, 15.–27. August 1941. – Privatbesitz London

Abb. 2: Von Mitte September 1941 bis zu ihrem Tod am 23. Februar 1942
wohnten Lotte und Stefan Zweig in diesem Haus: Rua Gonçalves Dias
Nr. 34, Petrópolis, Brasilien. – Casa Stefan Zweig, Petrópolis

4. Deutungsansätze

4.1 Zeitgeschichtliche Bezüge

Klemens Renoldner, Herausgeber einer »Kommentierten Ausgabe«
der *Schachnovelle* (Reclam 2013), betont Bezüge zu zeitgeschichtli-
che Ereignissen in Österreich im Jahre 1938 und erkennt im Ausgang
der Novelle (Dr. B. rettet sich ins Exil) eine ermutigende »Überwindung von Terror und Not«:

»Also gilt es in der *Schachnovelle* noch ein letztes Mal heimatliche
Konnotationen herzustellen. Noch einmal Österreich, noch einmal
Wien, der alte Kaiser und sein Leibarzt, Franz Schubert, das barocke
Kloster Seitenstetten in Niederösterreich. Aber nicht Verklärung ist
hier am Werk, denn die neuesten politischen Umstände sind er-
schütternd: Hitlers Soldaten haben das Land besetzt, Österreich hat
aufgehört zu existieren, und jeder, der den Nationalsozialisten miss-
fällt oder sich gar gegen sie auflehnt, muss mit dem Tod oder min-
destens mit seiner Verhaftung rechnen. Wenn die ›Welt von Gestern‹ überrannt wurde und die Gestapo aus dem einst mondänen
Wiener Innenstadt-Hotel ›Métropole‹ einen Ort der Folter und Gewalt machen kann, dann bleiben einem nur die Flucht in die Neue
Welt, das Abbrechen der Brücken und die Bilder der Erinnerung.
   Man würde die Erzählung aber falsch verstehen, wenn man sie als
Kommentar zur österreichischen Politik, wie ein Statement zur Zeit
oder wie einen politischen Essay lesen und entsprechend befragen
würde. [...]
   Andererseits nimmt die *Schachnovelle* innerhalb des Prosawerks
von Zweig auch deswegen eine besondere Position ein, weil es
seine einzige Erzählung ist, in der der Autor direkt auf die politische
Wirklichkeit Österreichs im Jahr 1938 und auf den Terror des Nationalsozialismus Bezug nimmt. Wissend, was den Juden nicht nur in
Deutschland, sondern auch in Österreich und in ganz Europa wi-
derfährt, wählte er mit Bedacht nicht einen jüdischen, sondern einen dem Klerus nahestehenden katholischen Anwalt, der der Wiener Aristokratie geneigt war. Dies geschieht nicht, weil Zweig
irgendwelche monarchistischen Sehnsüchte hegte, sondern aus Zu-
rückhaltung: Zweig war, was persönliche Anliegen betrifft, ein
Mann von äußerster Diskretion und scheute sich, im eigenen Inter-
esse zu sprechen. Zweig, der sich für sehr viele Flüchtlinge aus Eu-

ropa engagierte (man könnte sagen, er war zeitweise mit nichts anderem beschäftigt) und dabei auch in finanzieller Hinsicht großzügig war, wusste durchaus, dass er sich im Gegensatz zu vielen mittellosen Emigranten vergleichsweise in privilegierter Lage befand.

In diesem Sinne zeugt die *Schachnovelle*, und das macht einen guten Teil ihrer bis heute anhaltenden Wirkung aus, nicht nur von der Erfahrung einer existentiellen Krise, von größter Verzweiflung und Ohnmacht, sondern auch von der befreienden Utopie, von der Überwindung von Terror und Not – obwohl diese Erlösung aus Verzweiflung und Depression für den Autor im realen Leben nicht möglich war. Folgerichtig sprach der englische Zweig-Biograph Donald A. Prater zutreffend von einer Wunschvorstellung Stefan Zweigs: ›In der Kraft des österreichischen Anwalts, sich dem Druck der Gestapo zu widersetzen, dürften wir wohl eine Wunschvorstellung des Autors sehen.‹« (Prater: *Stefan Zweig. Das Leben eines Ungeduldigen*, München 1981, S. 330.)

Klemens Renoldner: Nachwort. In: Stefan Zweig. Schachnovelle. Kommentierte Ausgabe. Stuttgart: Reclam, 2013. S. 126–166, hier: S. 130–132.

4.2 Biographische Deutungen

4.2.1 Brasilien als »Isolationshölle«

Ingrid Schwamborn deutet Textstellen der *Schachnovelle* 1984 als parabelartig verschlüsselte Verarbeitung der Exilerfahrung Zweigs, die sich in zunehmenden Depressionen niederschlug. Ihre interpretatorische Schlussfolgerung fällt düster aus:

»Und somit ist das Schachbrett auch zum Symbol für den begrenzten Raum und Boden des Hotelzimmers geworden, in das Dr. B. zur Sonderbehandlung von der Gestapo eingesperrt wurde, zum Symbol für gekreuzte Gitterstäbe, für Gefängnis. Vielleicht wurde Zweig durch die doppelte oder dreifache Bedeutung des Wortes ›Schach‹ im brasilianischen Portugiesisch zu dieser Gleichsetzung angeregt: ›xadrez‹ heißt ›Schach‹, aber auch ›kariert‹ und daher: ›Gefängnis‹. [...]

Vielleicht beruht diese Doppeldeutigkeit nur auf einem Zufall, der in der Natur des Schachbretts liegt, denn Zweigs Portugiesischkenntnisse müssen recht spärlich gewesen sein. Und doch muß man sich fragen, was – außer der Schiffsfahrt nach Rio – das Brasilianische an der *Schachnovelle* ist, da sie als einziges Werk Stefan Zweigs von Anfang bis Ende in Brasilien geschrieben wurde. Die Antwort heißt: Petropolis. Ein Satz aus dem Brief vom 29.9.1941 an Friderike gibt den Hinweis; Zweig sagte, er habe sich »*für die Abgeschiedenheit* ein Schachbuch gekauft«. Nicht zur Ablenkung, [...] sondern für die Einsamkeit. [...]

Dr. B. ist nicht irgendein Opfer der Nazis, dem er [...] vielleicht auf dem Schiff begegnet sei oder das er sogar interviewt hätte, sondern allein Dr. Zweig! Und das ehemals schöne Hotel, in das der Rechtsanwalt von der Gestapo zur besonderen Folter isoliert wurde, ist das schöne ›Curörtchen‹ Petropolis, das zum Gefängnis, zur Sackgasse, zum Ort ohne Wiederkehr wurde.« [...]

Claudio de Souza, einer der wenigen Brasilianer, die noch Kontakt mit Stefan Zweig hatten, war Präsident des Pen-Clubs und gleichzeitig Arzt. Er erwähnt, daß Zweig in diesen letzten Monaten deutliche Anzeichen von Melancholie[1] und Depressionen erkennen ließ. [...]

Zweig, der selbst nie eingesperrt, nie gefoltert wurde und nie diese vollständige Isolierung tatsächlich erfahren hat, beschreibt sie doch so wie jemand, der dies am eigenen Leibe erlebt hat; seine eigene Erfahrung des Abgesondertseins, der Einsamkeit hat er so intensiviert, daß er zum Sprachrohr derer wurde, die dies erlebten und nicht mehr darstellen konnten. [...]

Brasilien war für Stefan Zweig kein vorübergehendes Exil, sondern Ziel- und Endpunkt seines Lebens, er sprach nie von einer für ihn möglichen Rückkehr. Die inneren Umstände für den Freitod wie auch für die Abfassung der *Schachnovelle* waren schon lange vorher im politischen und individuellen Geschehen vorbereitet, den äußeren Rahmen hierfür gab Brasilien, das sich für ihn innerhalb von knapp sechs Jahren vom Paradies auf Erden zum Paradies mit Einschränkungen (Brasilien ›ist für ruhige Menschen jetzt ein Paradies, hätte es nur noch mehr Bücher!‹) bis zur unerträglichen Isolationshölle gewandelt hatte.«

Ingrid Schwamborn: Schachmatt im brasilianischen Paradies. Die Entstehungsgeschichte der »Schachnovelle«. In: Germanisch-Romanische Monatsschrift. Neue Folge 34 (1984). S. 404–430, hier S. 413–426. – Mit Genehmigung von Ingrid Schwamborn, Bonn.

1 großer Niedergeschlagenheit

95

Der einschneidende Umbruch im Leben Stefan Zweigs begann freilich bereits vor der Exilzeit in Brasilien, als der Erfolgsautor seit den
1930er Jahren von den Nationalsozialisten angegriffen (etwa durch
eine unangekündigte Hausdurchsuchung) und schließlich aus Österreich vertrieben wurde. Der Literaturwissenschaftler Hannes Fricke deutet das Verhalten des Dr. B. mithilfe von Kategorien aus der
Psychotraumatologie: Der Ausgang der Novelle bedeute für den
Protagonisten der *Schachnovelle* eine existentielle »Katastrophe«.
Die interpretatorischen Ergebnisse vergleicht Fricke mit Selbstbe-
zeugungen des Autors, besonders aus Zweigs Autobiographie *Die
Welt von Gestern* (Erstausgabe 1942).

»Doch geht es in dem Text tatsächlich um Folter? Könnte man nicht
vermuten, dass dort gar nicht die Auswirkungen von Folter, sondern das Lebensgefühl eines [...] traumatisierten Flüchtlings den
Ausgangspunkt bildet [...]? In seiner Autobiographie *Die Welt von
Gestern*, die Zweig wie die *Schachnovelle* in Petrópolis fertig stellte,
beschreibt er dies Lebensgefühl erstaunlicherweise mit ähnlichen
Worten, wie Dr. B. sein Leben [...]:

›Wenn ich zusammenrechne, wie viele Formulare ich ausgefüllt
habe in diesen Jahren, Erklärungen bei jeder Reise, Steuererklärun-
gen, Devisenbescheinigungen, Grenzüberschreitungen, Aufent-
haltsbewilligungen, Ausreisebewilligungen, Anmeldungen und Abmeldungen, wie viele Stunden ich gestanden [!] in Vorzimmern von
Konsulaten und Behörden, vor wie vielen Beamten ich gesessen
habe, freundlichen und unfreundlichen, gelangweilten und über-
hetzten, wie viele Durchsuchungen an Grenzen und Befragungen
ich mitgemacht, dann empfinde ich erst, wieviel von der Men-
schenwürde verlorengegangen ist in diesem Jahrhundert, das wir als
junge Menschen gläubig geträumt als eines der Freiheit, als die kom-
mende Ära des Weltbürgertums.‹ [vgl. hier S. 45 f.]

Zweig fühlt sich persönlich durch offizielle Seiten verfolgt, sieht
sich aber gleichzeitig als Repräsentant einer Generation [...]:

›Ständig sollte man fühlen, mit freigeborener Seele, daß man Objekt
und nicht Subjekt, nichts unser Recht und alles nur behördliche

Gnade war. Ständig wurde man vernommen, registriert, numeriert, perlustriert[2], gestempelt, und noch heute empfinde ich als unbelehrbarer Mensch einer freieren Zeit und Bürger einer geträumten Weltrepublik jeden dieser Stempel in meinem Paß wie eine Brandmarkung, jede dieser Fragen und Durchsuchungen eine Erniedrigung.‹

Auffällig sind die Reihungen (›Erklärungen, [...] Abmeldungen‹; ›vernommen, [...] gestempelt‹), als ob ein einzelner Begriff nicht ausreichen könne, um die Erniedrigungen zu veranschaulichen, sowie die absolut gesetzten Begriffe (›nichts‹, ›alles‹, ›ständig‹, ›jeden‹): Die extremen Setzungen unterstreichen die tiefe, dauerhafte Erschütterung von Zweigs Selbst- und Weltverständnis als Hinweis auf eine Traumatisierung [...], die er in gewählter Sprache und mit Pathos[3] zu beschreiben sucht:

›Und ich zögere nicht zu bekennen, daß seit dem Tage, da ich mit eigentlich fremden Papieren oder Pässen leben mußte, ich mich nie mehr ganz als mit mir zusammengehörig empfand. Etwas von meiner natürlichen Identität mit meinem ursprünglichen und eigentlichen Ich blieb für immer zerstört.‹

[...] Fasst man [...] also Zweigs Ressourcenschwäche, seine Ambivalenz[4] gegenüber der eigenen Person, die Selbstverurteilung zur Passivität und privaten Zurückgezogenheit, den plötzlichen Verlust seiner Heimat und seines kulturellen Hintergrundes, die Reihe der für ihn erniedrigenden, auf ihn willkürlich wirkenden Maßnahmen der Behörden und die Vereinsamung in Petrópolis bzw. den Verlust seines Publikums und seiner Kommunikationspartner (Zweig schrieb insgesamt ca. 20 000 Briefe, davon 13 Abschiedsbriefe) sowie sein Selbstverständnis als Entsagender zusammen, so könnte man vermuten, dass diese Gemengelage ein Trauma-Schema generiert[5] [...]. Traumatheoretisch gesehen ist das Ende der Novelle aber eine Katastrophe, denn die Aufforderung, den Trigger[6] Schachspiel

---

2 durchsucht
3 Leidenschaft
4 Zerrissenheit
5 hervorruft
6 Auslöser

zu vermeiden, hilft bei der Lösung der Schwierigkeiten keineswegs. [...]

Doch betrachtet man die Novelle unter traumatheoretischen Gesichtspunkten unter Einbeziehung der Biographie Zweigs, zeigt sich erst die ganze Problematik in der direkten Aufforderung zum entsagenden Schweigen: Die Tatsache nämlich, dass Dr. B. in Zukunft nun endgültig kein Schach mehr spielen will, ändert an dessen Lebensproblematik – nichts.«

Hannes Fricke: »Still zu verschwinden, und auf würdige Weise.« Traumaschema und Ausweglosigkeit in Stefan Zweigs »Schachnovelle«. In: Zeitschrift für Psychotraumatologie und Psychologische Medizin 4 (2006) H. 2, S. 41–55, hier S. 49 f., S. 53 f. – Mit Genehmigung von Hannes Fricke, Stuttgart.

Argument für diese These eines fortbestehenden Traumas sind, so Fricke, die flashbackartige (also schlaglichtartige, nicht in einem zeitlich und räumlich geordneten Ablauf in der Erinnerung rekonstruierbare) Vergegenwärtigung etwa der Abstände aus der Zelle nun auf dem Schiff (vgl. hier S. 71: »reproduzierte ... das Ausmaß seiner einstmaligen Zelle), der zwanghaft wieder auftretende Durst (vgl. hier S. 69 und S. 73 mit S. 59) oder die Färbung der Narbe (vgl. hier S. 74 und S. 76).

4.3 Psychologisch-pathologische Deutung

Der dänische Literaturwissenschaftler Bengt Algot Sørensen hält demgegenüber konkrete biographische oder politische Bezüge zur Biographie des Autors für interpretatorisch zweitrangig und erkennt in der *Schachnovelle* vielmehr die thematische Weiterführung eines Leitmotivs im Gesamtwerk Stefan Zweigs, nämlich »die Zerstörung des humanen Gleichgewichts zwischen rationalen und irrationalen Mächten«:

»Was nun den intelligenten, gebildeten Dr. B. betrifft, so ist er zunächst gewiß das Opfer und ein Gegner des Nationalsozialismus. Im Laufe seiner Inhaftierung verschiebt sich aber nach seinem eigenen Bericht der Schwerpunkt zusehends vom politischen Kontext auf die psychisch-pathologische Problematik seines Zustandes. Dies geht so weit, daß er sich am Ende überhaupt nicht mehr für die Verhöre der Gestapo interessierte:

›Aber in Wirklichkeit wartete ich, während sie fragten und berieten, in meiner unseligen Gier doch nur darauf, wieder zurückgeführt zu werden in meine Zelle, um mein Spiel, mein irres Spiel, fortzusetzen, eine neue Partie und noch eine und noch eine.‹

Mit Dr. B.s Entlassung aus der Haft verschwindet jeder Bezug der Erzählung auf den politischen Teil der Vorgeschichte. Diese bleibt wichtig und unentbehrlich, aber nur als psychologische Voraussetzung des Folgenden. Was Dr. B. etwa dazu bewegt, mit Czentovic Schach zu spielen, ist ausschließlich psychologische Neugier:

›Was mich interessiert und intrigiert, ist einzig die posthume[7] Neugier, festzustellen, ob das in der Zelle damals noch Schachspiel oder schon Wahnsinn gewesen […].‹

Auch die Spiele selbst, die Dr. B. mit Czentovic spielt, stehen ausschließlich im Brennpunkt eines psychologischen Interesses. Dies wird auch durch den Ausgang der Spiele bestätigt, indem Dr. B., wie wir sahen, nicht dem Schachgenie von Czentovic unterliegt, sondern den irrationalen Kräften des eigenen Inneren. In diesem Zustand als ein monomanisch[8] Besessener, der mit Bildern aus dem Tierreich charakterisiert wird, kann dieser Mensch natürlich nicht der Symbolträger zivilisatorischer Vernunft und humaner Bildung sein.

Was Czentovic und die Gestapo miteinander verbindet, sind keine äußeren oder inneren Eigenschaften, sondern allein ihre Funktion in der Novelle: beide dienen dem Zweck, die Nervenkrankheit Dr. B.s, seine ›Schachvergiftung‹, zum Ausbruch zu bringen, die Gestapo in der Vergangenheits-, Czentovic in der Gegenwartshandlung. Das ist ihre gemeinsame Funktion in der Ökonomie der Novelle, deren Schwerpunkt die Psyche Dr. B.s, das seelische und nervenmäßige Drama in seinem Inneren, bildet. Somit gehört die Schachnovelle als die einmalige Geschichte vom pathologisch[9] gesteigerten, psychisch labilen[10] Schachgenie Dr. B.s in die lange Reihe von Erzählungen Stefan Zweigs, deren dramatischer Höhe-

7 eigentl.: nach dem Tode
8 von einer einzigen Idee
9 seelisch krankhaft, leidend
10 zerbrechlichen

punkt in dem Moment erreicht wird, wo die unbewußte Welt der Instinkte und Triebe durch die dünne Schicht der Zivilisation und Vernunft bricht.«

Bengt Algot Sørensen: Stefan Zweig. Schachnovelle. In: Interpretationen. Erzählungen des 20. Jahrhunderts. Bd. 1. Stuttgart 1996. S. 250–264, hier S. 262 f.

5. Thematische Aspekte

5.1 Schach als Widerstandsstrategie in Konzentrationslagern

Die Konzentration auf das Schachspiel hilft dem Protagonisten Dr. B., der psychischen Folter durch die Gestapo wenigstens vorübergehend Widerstand zu leisten. Eine Studie zum *Schachspiel als Phänomen der Kulturgeschichte des 19. und 20. Jahrhunderts* (2003) weist mehrere reale Fälle nach, bei denen Gefangene in nationalsozialistischen Konzentrationslagern durch Schachspielen versucht haben, den Druck zu verarbeiten:

»Der Großteil der zur Vernichtung vorgesehenen Insassen der Konzentrationslager war gewillt, trotz physischen und psychischen[11] Terrors der Folter Stand zu halten und seine Peiniger und somit das System zu überleben. Der Wille zum Überleben wurde zum alles beherrschenden Thema. Eine mögliche Ausdrucksweise dieses verbissenen, um jeden Preis zu erhaltenden Willens war die Flucht in das Schachspiel. Es wurde zu einer Betätigung, zu einer Initiative des Überlebens, ein Mittel zur Verteidigung des eigenen Ichs, der psychischen und physischen Gesundheit und eine Darstellung des seelischen Widerstandes. Die moralische, geistige und physische Bedeutung des Schachspiels war somit nicht nur in reinem Zeitvertreib zu sehen, sondern besaß einen immunisierenden[12] Charakter gegen die Lagerrealitäten. [...]

Gefangene, die sich für das Schach entschieden hatten, um sich ihren geistigen Freiraum und einen Teil ihrer Individualität zu bewahren, sahen sich immer wieder vor das Problem gestellt, ein Schachbrett mit Figuren zu organisieren. Die Not der Inhaftierten trug jedoch immer wieder neue, erfinderische Früchte. Sie fertigten Figuren aus Papier, Stroh, Brot oder Holz. Als Schachbrett diente häufig der Fußboden, Tische oder Decken.

Sehr einfallsreich waren die Gefangenen im Warschauer Gefängnis *Pawiak* zur Zeit der deutschen Besatzung. Schach zu spielen war verboten, und dennoch gelang es den Gefangenen, ihrer Leidenschaft nachzugehen. Sie fertigten Figuren aus Brot und als Schach-

---

11 physischen und psychischen: körperlichen und seelischen
12 unempfindlich machenden

brett diente ein aus Asche bestehendes Muster auf dem Boden. Kam
es zu einer Kontrolle, wurden die Figuren einfach aufgegessen und
das Brett weggeblasen.«

Edmund Bruns: Das Schachspiel als Phänomen der Kulturgeschichte des 19.
und 20. Jahrhunderts. Münster [u.a.]: LIT, 2003. S. 221, S. 228.

5.2 Formen der Spielsucht

Die *Schachnovelle* beschreibt am Beispiel des Ingenieurs und Un-
ternehmers McConnor, des Schachweltmeisters Mirko Czentovic
und des Anwalts Dr. B. Formen und Ausprägungen der Spielsucht.
Die fesselnde Wirkung der Novelle auf viele Leser ist zu einem guten Teil auf die fast klinisch präzise Beschreibung der Spielsucht-
symptome zu erklären.

»Stefan Zweig hat mit seiner *Schachnovelle* ein Meisterstück litera-
rischer Novellenkunst hinterlassen. Hier hat er eine unerhörte Begebenheit, die doch wahr erscheint, in straffer, sehr konzentrierter
Form dargestellt – und dies im Aufbau dem Drama ähnlich. Ein kri-
senhafter Konflikt wird, dem typischen Dramenaufbau entsprechend, mit einem Wendepunkt dargestellt. Dabei wird einem Ding-
symbol, das bildhaft die unerhörte Begebenheit stützt, besondere
Bedeutung zugestanden: dem Schachbrett.
[...] Dr. B. [erkrankt] in dieser Isolation schwer. Er leidet an hef-
tigen, am Text nicht eindeutig zu fassenden, psychopatholo-
gischen[13] Symptomen. Er steigert sich in sein Spiel: ›Aus der
Spielfreude war eine Spiellust geworden, aus der Spiellust ein Spielzwang, eine Manie, eine frenetische sehr heftige Wut, die nicht nur
meine wachen Stunden, sondern allmähliche auch meinen Schlaf
durchdrang‹. Es sind Erregungszustände beschrieben, die bei ihm
eine intensive Krise und schließlich seine Verlegung in ein Hospital
zur Folge haben. [...]
Er [Dr. B.] bricht das Spiel ab, ohne es zu beenden. Er schwitzt
und erinnert sich schmerzhaft an sein Leiden, bevor er abbricht.
Dr. B. erkennt, dass ihn der Teufelskreis der Sucht, das starke Verlangen nach dem Stoff, nach dem Spiel, trotz anfänglich eigener Be-

---

13 wörtl.: das Leiden der Seele betreffenden

Abb. 3: Stefan Zweig (links) beim Schachspiel mit Emil Fuchs (rechts), seinem langjährigen Salzburger Schachpartner und Freund; Ostende, Juli 1936. – Privatbesitz London.

mühungen sich fernzuhalten, wieder gepackt hat. Er bricht ab, verbeugt sich und verschwindet.«

Bettina von Jagow / Florian Steger: Was treibt die Literatur zur Medizin? Ein kulturwissenschaftlicher Dialog. Göttingen: Vandenhoeck & Ruprecht, 2009. S. 50–52. – © 2009 Vandenhoeck & Ruprecht, Göttingen.

1960 verfilmt Gerd Oswald die *Schachnovelle* mit Curd Jürgens (Dr. B.) und Mario Adorf (Mirko Czentovic) in den Hauptrollen. Der Film löst sich weitgehend von Struktur und Aufbau der Erzählung Zweigs und legt den Schwerpunkt auf die psychischen Probleme Dr. Basils, wie der Protagonist im Film heißt. Rezeptionstheoretisch interessant ist dabei die daraus folgende »intermediale Umdeutung [...] bei der Umsetzung des Stoffes als Film« (Marquart):

»Schon der Vorspann spielt mit dem Motiv des Schachspiels: Die Mitwirkenden werden auf schwarz-weißen Feldern präsentiert; da auch der Film selbst schwarz-weiß gedreht ist, bleibt der farbliche Kontrast des Spiels über den gesamten Film erhalten. Die Handlung beginnt am Hafen vor Abfahrt des Schiffes, man sieht vereinzelte Passagiere am Schachbrett. [...]

Der Blick auf das leere Schachbrett erinnert von Basil an den Fußboden des Hotels Metropol. Seine Erinnerung schweift in die Vergangenheit, der Zuschauer erfährt nun von Basils Geschichte, auf die schon zu Beginn angespielt wurde. [...]

Vor allem in den Gefängnisszenen selbst gelingt es dem Film, die Atmosphäre der literarischen Vorlage und die bedrückende und ausweglose Situation Dr. B.s umzusetzen. Die Kamera bleibt hier meist statisch und betrachtet das Geschehen in dem Zimmer; akustisch wird die Situation unterstützt durch den Klang des tropfenden Wasserhahns, der noch unterstreicht, wie sehr die Eintönigkeit an Dr. B.s Nerven zehrt. Zudem trägt der Dauerregen, den Basil durch das – karierte – Fenster sieht, noch zur bedrückenden Stimmung bei. [...]

[Der] Zusammenbruch selbst wird szenisch beeindruckend vorbereitet und umgesetzt: Zunächst wandeln sich immer mehr Gegenstände in Schachfelder, so etwa das karierte Fenster, die karierte Bettwäsche, schließlich der Fußboden des Raumes, in dem von Basil auf ein Verhör wartet. Plötzlich wähnt er sich auf einem riesigen Schachfeld – die Assoziation entsteht durch die schwarz-weißen Kacheln – und ordnet die in der ehemaligen Hotelhalle stehenden Personen als Schachfiguren auf dem imaginären Feld an. [...]

Filmische Mittel werden die ganze Zeit über vor allem in zwei Punkten angewandt: Zum einen fällt die immer wiederkehrende

Assoziation an ein Schachfeld auf. Häufig erinnern Fußböden, Bettwäsche, Fenster etc. an die Struktur des Schachbretts. Zum anderen
ist es die Enge in der Zelle, die durch die Perspektive verdeutlicht
wird. Sie wird erneut aufgenommen, wenn die Schiffskabine von
Basils dargestellt wird. So werden optisch Bezüge zwischen seiner
Situation auf dem Schiff und der in der Zelle hergestellt.«

Lea Marquart: Ein Streifzug durch die Medien. Stefan Zweigs Schachnovelle
als Hörspiel und Film. In: Drama. Theater. Film. Festschrift anlässlich der Ver-
abschiedung von Rudolf Denk im Herbst 2010. Hrsg. von Joachim Pfeiffer /
Thorsten Roelcke. Würzburg: Königshausen & Neumann, 2012. S. 237–248,
hier S. 244–247. – © 2012 Verlag Königshausen & Neumann, Würzburg.

Einen eigenen Schwerpunkt setzt die Verfilmung auch durch die
Ergänzung des Geschehens um eine neue, nicht in der Novelle vor-
handene Figur, die die Handlung im Film zusammenhalten soll und
durch die zugleich die Aufmerksamkeit des Zuschauers auf die bru-
tale Neuartigkeit der Foltermethode gelenkt wird. Eingeführt wird
»die Figur des jungen Gestapo-Chefs Hans (bzw. Fritz) Bergner [...],
der seinen Vorgesetzen, den Dienststellenleiter aus Berlin, Hart-
mann, von der Effektivität seiner neuen Technik einer rein psychischen Folter überzeugen will. Als Dr. Basil – so der Name des Dr. B.
aus dem Novelle im Film – zu seiner Verärgerung nicht gesteht,
greift Bergner im Keller des Metropol wieder auf die bewährte physische [körperliche] Folter zurück« (Fricke 2006, S. 49).

Abb. 4: Die letzte, abgebrochene Partie der *Schachnovelle*. Szene aus dem gleichnamigen deutschen Kinofilm von 1960; Mario Adorf (links) als Czentovic, Curd Jürgens (rechts) als Dr. B. – Quelle: Deutsche Kinematek, Berlin.

7. Literaturhinweise

Dines, Alberto: Tod im Paradies. Die Tragödie des Stefan Zweig. Frankfurt a.M. 2006.

Eicher, Thomas (Hrsg.): Stefan Zweig im Zeitgeschehen des 20. Jahrhunderts. Oberhausen 2003.

Matuschek, Oliver: Stefan Zweig. Drei Leben. Frankfurt a.M. 2006.

Schwamborn, Ingrid (Hrsg.): Die letzte Partie. Stefan Zweigs Leben und Werk in Brasilien (1932–1942). Bielefeld 1999.

Sørensen, Bengt Algot: Stefan Zweig. Schachnovelle. In: Interpretationen. Erzählungen des 20. Jahrhunderts. Bd. 1. Stuttgart 1996: S. 250–264.

Zweig, Stefan: Die Welt von Gestern. Erinnerungen eines Europäers. Frankfurt a.M. 2006.

Der Verlag Philipp Reclam jun. dankt für die Nachdruck- und Reproduktionsgenehmigung den Rechteinhabern, die durch den Quellennachweis und einen folgenden Genehmigungs- oder Copyrightvermerk bezeichnet sind. In einigen Fällen waren die Inhaber der Rechte nicht festzustellen; hier ist der Verlag bereit, nach Anforderung rechtmäßige Ansprüche abzugelten.

Inhalt